KB103675

윤슬을 바라보는 그대에게

윤슬을 바라보는 그대에게

강인경

곽혜연

배은호

수지우

이현경

최은수

2023년 11월, 서로 다른 우리가 모여 잔잔한 물결이 되었습니다. 한 방울의 마음이 모여 물결을 이루고, 한 사람의 마음을 만나 마중물이 되었습니다. 마음에서 빛을 끌어올리기 위한 작은 반짝임으로 다가간다면 얼마나 좋을까요?

독자의 시선이 찬란한 빛으로 투영되어 책에 머무는 시간이 윤슬처럼 아름다운 잔상을 남기기를 바라는 마음을, 한 편으로 글쓴이는 바다의 파도처럼 성장하기를 바라는 마음을 담았습니다.

인생의 여정을 꿋꿋하게 항해하는 모든 사람들을 응원합니다. 왜냐하면 우리 모두가 한 번쯤 길을 잃었거나 넘어져보았기 때문입니다. 그리고 이 책에서 그 여정에서의 각각의 경험을 덤덤하게 풀어보았습니다. 고립과 단절, 예상하지 못한 번아웃, 원하지 않는 이별, 그리고 경험과 기억의 이질감에 대해서요. 마음 속에 깊이 숨겨진 이야기를 발굴하는 과정은 때로는 즐거웠지만 때로는 숨어버리고 싶기도 했습니다. 그렇기 때문에 활자로 끌어올린 이야기가 더욱 소중하게 느껴질지도 모르겠습니다. 지면을 빌려 글이 길을 잃을 때마다, 도망치고 싶을 때마다 등대처럼 글을 안내해주신 양기연 작가님께도 감사의 인사를 전합니다.

인생을 항해할 때에, 늘 기억하기로 해요.
가장 빛나고 있는 자신을!

반짝반짝 빛나는 윤슬을 기다리는 잔물결 일동 드림

- 공동저자 中 이현경

수채화를 그려 보셨나요?

강인경

강인경　5월5일 어린이날 출생. 부모님의 선물로 태어나 선물같이 특별한 삶을 꿈꾸며 자랐다. 한때는 랜덤박스의 '꽝'같은 인생이 아닐까 좌절하기도 했지만 특유의 또라이 기질로 이겨내고 있는듯 하다. 또한 이겨내지 못하면 어떠하리. '그저 버텨내면 그것이 곧 내 힘'이라는 인생의 모토로 살아가고 있는 퍽 재미있는 사람. 가수, 자영업자, 강아지집사, 그리고 이번에는 작가다!

인스타그램: @sweet_jelly_of_red_beans

얼마 전 뉴스를 통해 통계청이 발표한 성인 19세에서 34세 취업 인구 중 무려 20만 6천여 명이 취포자(취업 포기자)로 아예 집 밖으로 나서지 않는다고 밝혔다. 외출하더라도 가까운 편의점, 카페, 도서관 등 넓은 의미의 '히키코모리'까지 포함하면, 취포자 수는 무려 50만 명을 넘어섰고, 이는 통계상 수치임을 감안할 때 실제는 훨씬 더 많은 것으로 파악됐다.

그렇지만 태경은 자신 또한 방구석 히키코모리가 될 거라고는 상상도 하지 못했다. 생각해 본 적도 없을 뿐더러, 그런 사람들은 뭐 하나 잘하는 것 하나 없고, 꿈도 목표도 없는 게으름뱅이, 겁쟁이들 정도로 생각했기 때문이다. 무언가 잘못됐다는 생각은 들었지만, 쉽사리 몸이 움직여지지 않았다. 태경은 어느새 되도 않는 핑계만 늘어놓으며, 애꿎은 시간만 죽이고 있었다. 그리고 오랜 시간 태경의 분신과도 같았던 미술도구들은 어두운 방 한 켠에 자리만 차지할 뿐, 안쓰러울 정도로 태경에게 눈길조차 못 받은 지 오래였다.

태경은 작품 활동이란 명목 하에 방구석에 틀어박힌 지 벌써 1년이 되었다. 미술을 전공해 입시학원에서 학생들을 가르치던 태경은 예민하고 드센 학부모와 정제되지 않은 무례한 아이들, 내 가치를 성적표로 매긴 것만 같은 월급에서 벗어나 잠시 머리를 식히고 싶었을 뿐이었다. 정말 잠시만 말이다. 그저 한 두어 달, 쉬다 보면 다시 붓을 들고 싶어질 줄 알았다. 아니면 적어도 미술전시회를 돌아다니며, 말라 비틀어지지 못해 부스러지기 일보 직전인 영감을 채우려고 했었다. 개똥이었다. 지금 태경은 집 앞 편의점과 배달음식으로 가득 찬 종량제 봉투를 내놓을 때를 빼고는 그 어디도 나서지 않았다. 아니 못했다. 뭘 해야 할지를 몰랐다.

졸업 후 해외유학을 다녀왔다는 동기, 결혼을 해서 이제 그림은 취미로만 그린다는 동기, 운이 좋게 유명가수의 앨범 자켓 그림 작업을 했다는 동기들 사이에서 태경은 원치도 않는 학원 선생이 된 것에 팔리지 않는 작품 마냥 퍽 외로웠다. 이 나이쯤 되면 태경은 그럴듯하게 내 이름을 건 전시회 정도는 근사하게 열 수 있을 줄 알았다. 그런데 이게 무엇인가? 고작 월셋방, 생활비 등을 제하고 나면 제대로 저축할 돈도 남지 않는 월급에 엉덩이를 붙이다니. 무력감과 열등감이 태경의 세상을 갈증나는 무채색으로 만들었다.

평일 오후 4시, 오늘도 태경은 하릴없이 담배 한 갑과 소주를 사러 집 앞 편의점을 나섰다. 이 시간대가 사람들이 가장 덜 붐비는 시간대이다. 감지도 않는 머리에 모자를 푹 눌러쓰고 얼른 물건을 사서 나오던 태경 앞에 검은색 강아지 한 마리가 발 앞을 어슬렁거렸다. 어릴 적 부모님과 같이 살았을 때, 강아지를 키워 본 적이 있었던 터라, 예전 같았으면 귀엽다며 머리라도 한 번 쓰다듬었을 텐데 이제는 다 귀찮다. 집 앞까지 졸졸 따라오는 녀석에게 눈길이 가긴 했지만, 대수롭지 않게 생각했다.

그러나 다음날도 또 그 다다음날도 강아지는 편의점 앞에서 꼭 태경을 기다린 것 마냥 주변을 어슬렁거렸다. 처음에는 대수롭지 않게 바라보던 태경도 신경이 쓰이기 시작했다. 며칠 내내 짧은 검은색 털에 껌 같은 것이 뒤엉켜 붙어있는 게 주인이 없는 것이 분명했다.

'떼어주는 사람이 없으면 저 강아지는 평생 바둑이 마냥 하얀 얼룩을 덕지덕지 붙이고 살겠지'라는 생각에 괜스레 안쓰러워 손을 뻗어 다가가려던 순간, 편의점 직원이 급하게 뛰어 나와 만류했다. 떠돌이 길 강아지라 사람의 손을 타지 않아 꽤나 사납다는 것이었다. 벌써 본인도 배가 홀쭉한 게 안쓰러워 간식을 주려다가 몇 번 손을 물렸다며, 다쳐서 반창고로 둘둘 감은 손가락을 보여주었다. 태경은 개의치 않은 듯 두어 걸음의 거리를 두고 강아지 조금 앞에 쪼그려 앉아 손을 뻗었다.

그러나 사납다는 편의점 직원말이 무색하게도 강아지는 태경의 손을 할짝거리며 몸을 파고들어 들이대기 시작했다. 낑낑거리며 애처롭게 태경에게 파고드는 모습이 꼭 길을 잃은 아이처럼 보여서였는지, 그 어떠한 동질감 때문이었는지는 모르겠지만, 도무지 녀석을 그냥 두고 갈 수는 없었다. 태경은 편의점 직원에게 혹시라도 강아지를 찾는 사람이 있으면 연락 달라며 연락처를 알려줬지만, 그는 아무도 찾지 않을 거라며 단언했다. 태경이는 강아지와 자신의 처지가 퍽 비슷한 것 같아 더욱 조심스레 강아지를 감싸 안고 집으로 들어왔다.

망했다. 정신차리고 현실적으로 생각해보니 이제는 백수에 내 자신 돌보는 것도 벅차 놓아버린 히키코모리 인생에 어쩌자고 강아지를 주워 온 걸까? 태경은 눈앞이 깜깜했다. 그렇다고 다시 강아지를 밖에다 내두는 짓 따위는 못한다. 왠지 자신이 아니면 저 강아지는 아무도 봐 주지 않을 것 같았다. 모르겠다. 일단 신경 쓰이는 저 하얀 얼룩 탓에 목욕부터 시키기로 했다.

목욕을 하면서 자세히 보니 하얀 얼룩은 페인트칠이었다. 아마 추위에 공사장 여기저기를 기웃거리다 묻었을 테지…… 길다란 주둥이에 묻은 물기를 할짝대며 목욕이 싫어 바둥대는 모습이 귀여웠다. 문득 태경은 학창시절에 어두운 교복치마에 밝은 색 물감을 실수로 묻혀가 엄마의 꾸중을 피하고자 애교를 떨었을 때가 떠올랐다. 웃기다. 한동안은 엄마를 떠올리면 껄끄러운 기억밖에 떠오르지 않았었는데, 웃긴 강아지다. 하여튼 잘 지워지지 않아 긁어가며 페인트칠을 떼고 목욕을 마치니 그래도 꽤나 볼품 있는 강아지가 되었다.

다음, 사료가 필요했다. 배변패드와 기타 여러 강아지용품도 필요했다. 가뜩이나 없는 살림에 태경은 걱정이 앞섰다. 어쩔 수 없이 태경은 엄마에게 도움을 청하기로 했다. 학원을 그만 뒀다는 얘기를 꺼내지 않았지만, 엄마는 태경의 사정을 어느정도 눈치 채고 있는 듯했다. 역시 엄마는 엄마인가보다. 한 달에 한 번, 엄마는 태경에게 어느 정도의 생활비를 보내 주고 있었다. 태경은 적지 않은 나이에 부모님께 손 벌리는 자신이 자존심이 상하고 죄스러웠지만, 그렇다고 생활비를 거절할 형편은 되지 못했다. 그런데 또 이렇게 도움을 요청하는 꼴이라니 태경은 자신이 왜 이렇게 구질구질하게 되어 버렸을까를 생각했다.

태경은 어릴 적부터 그림 그리기를 참 좋아했다. 부모님이 시장에서 맞벌이로 음식점을 하면서 외동인 태경에게는 스케치북과 크레파스, 색연필이 곧 언니이자 동생이었기 때문이다. 배워 본 적도 없는 그림에 초등학교에서 상을 타오곤 할 때면, 부모님은 항상 장사를 하고 남은 음식이 아닌 외식을 시켜 주셨다. 비록 대단한 음식은 아니더라도, 짜장면 한 그릇에 군 만두 한 접시면, 태경은 며칠은 기분이 좋았던 것 같다.

중학교에 올라와서도 태경은 곧잘 교내 미술대회에서 상을 타왔다. 부모님이 장사로 더욱 바빠진 탓에 전처럼 외식을 자주할 수는 없었지만, 상을 타올 때면, 부모님은 본인들의 딸이 대단한 화가가 되는 거 아니냐며 호들갑을 떨곤 하셨다. 그런 부모 애정 어린 입김 탓에 태경은 자신이 특별한 줄 알았다. 그래서 유명한 화가가 되어서 부모님을 호강시켜 드리고 싶었다. 그러나 현실은 녹록치 않았고, 그림을 잘 그리는 사람들은 쌔고 쌨으며, 대학교에 들어와서는 적당히 사회에 타협해 살아가는 자신을 보며 태경은 자신이 특별하다는 아집을 버리게 되었다. 그 결과가 이리도 비참한 꼴을 만들었던 것일까? 조금 더 고집스럽게 해봤어야 했을까? 하지만 때늦은 후회였다.

태경은 마음을 가라앉히고 엄마에게 전화를 걸었다. 급하게 전화를 받은 엄마는 오랫만에 울린 태경의 전화 탓에 무슨 일이라도 생겼나 싶은 걱정에 조금은 격양된 목소리였다. 태경에게 선뜻 묻지는 못했다. 본인이 딱히 잘못한 것이 없지만서도 엄마는 태경의 눈치를 보았다. 본인의 말이 한창 예민해진 태경의 심기를 거슬러 또다시 태경이 한참동안 연락이 닿지 않을까 걱정이 앞선 듯 보였다.

태경은 민망함에 말끝을 흐리며, 급하게 사정이 생겨 여윳돈이 필요하다 말했다. 엄마는 이유조차 묻지도 않은 채 알겠다고 하였다. 용도를 묻지 않는 엄마의 대답에 태경은 자기도 모르게 강아지를 데려왔다며 먼저 말을 꺼내게 되었다. 그러자 어쩌다 데려오게 됐는지부터 어떻게 생겼는지, 오랜만에 엄마의 물음이 전화기 너머로 들려왔다. 엄마는 다행이라고 좋아하였다. 혼자가 아니어서 다행이라고. 그리고 보고싶다고…… 태경도 엄마에게 보고싶다 말하고 싶었지만, 아직은 초라한 자신을 비출 용기가 없어 말을 아끼며 전화를 끊었다.

지도를 검색해 가장 가까운 동물병원을 찾았다. 집이랑 가장 가까운 병원이었지만, 그래도 20분 거리나 떨어진 곳이었다. 집 앞 편의점 외에는 한동안 길을 나서 본 적이 없던 태경은 동네지만, 낯선 거리와 바깥 공기에 긴장이 되었다. 웃기게도 굴러들어온 이 강아지가 뭐라고 의지가 되고 있었다. 목줄도 없던 탓에 가슴팍에 안고 20여 분을 걷다 보니 숨이 찼다. 헐떡이는 자신을 빤히 쳐다보며 입가를 할짝이는 강아지를 보니, 태경은 아주 제대로 코가 꿰였다는 생각이 들었다.

동물병원에 도착해 접수를 하자, 직원은 강아지의 이름을 물었다. 주운 강아지라 어떻게 해야 할지 아직 모르겠다고 말하니, 보호자 이름으로 등록하겠다며 태경의 이름으로 접수를 했다. 보호자라…… 갑자기 부담감이 파도처럼 몰려왔다. 그러나 생각할 틈 따위는 주지 않을 정도로 꽤나 괴이하게 돌아다니는 강아지 탓에 몰려왔던 파도가 다시 몰려가듯 정신을 빼앗겨버리고 말았다. 다행히 떠돌이 길강아지 치고 별 문제 없었다. 나이는 이제 막 한 살 즈음 된 수컷 믹스견으로 보인다고 하였다. 그리고 혹시나 하고 살펴본 강아지 인식칩은 역시나 없었다. 수의사는 우선 이름부터 지어주는 게 어떻겠냐고 태경에게 말했다.

검둥이, 깜돌이, 까망이… 태경은 집에 돌아와 강아지의 이름부터 짓기 시작했다. 굳이 보지 않아도 검정색 강아지라 알 수 있을 법한 검정색의 존재감을 뽐내는 이름들 밖에 떠오르지가 않았다. 그래도 명색이 예술을 전공한 사람인데, 이리도 창의성이 떨어지다니, 스스로가 민망했다. 생각나는 대로 여러 이름을 번갈아 가며 슬쩍 불러보았지만 강아지는 영 마음에 들지 않는 이름들이었는지 엎드린 채 뒷발로 목덜미만 긁었다. 그럴 때마다 짧은 털이 엄청나게 빠져 댔는데 밝은 바닥에 비해 새까만 것이 상대적으로 명도가 어찌나 낮던지 멀리서도 눈에 확 띄었다. 정말 명도 때문에 눈에 거슬렸다. 청소가 꽤나 일이겠다고 귀찮을 일이 늘었다며 혼잣말로 읊조렸다. 그런 혼잣말에 강아지는 갑자기 벌떡 일어나 태경이 곁으로 다가왔다. 다시 한번 명도라는 말을 입에 올렸다. 그러자 강아지는 왈왈 짖기 시작했다. 결국이 조금은 괴이하고 새까만 강아지는 명도가 되었다.

데려 온 당일 명도는 불 꺼진 방 한 구석에 웅크리고 잠을 청하더니 오늘은 기어코 태경의 침대로 기어올라오고 싶다며 낑낑거렸다. 짧은 다리로 침대에 올라오겠다며 허우적거리는 모습이 귀여웠다. 원래 태경은 침대에 누우면 양을 100 마리, 아니 2~300 마리를 세도 매번 새벽녘까지 잠을 청하지 못하였다. 그러나 태경의 옆으로 돌아 누운 등허리에 명도가 살짝궁 엉덩이를 붙여 눕자, 조금은 따뜻한 명도의 온기 덕분인지 어느새 신기하게도 금방 스르륵 잠이 들었다.

다음날 잠에서 깬 태경은 소스라치게 놀라고 말았다. 여기저기 어지럽혀진 방과 아직 배변교육이 부족해 실수한 명도의 배설물이 가득했다. 그 중 가장 태경의 심기를 건드렸던 것은 방 한 켠에 무심하게 모아 놓은 태경의 작품과 미술도구들을 명도 이 녀석이 자근자근 물어 뜯은 것이었다. 태경은 날카롭게 소리치며 명도를 혼냈지만, 사실 그렇게까지 소리칠 일은 아니었다. 먼저 등한시하며 자리만 차지하는 골칫거리 정도로 치부했던 건 태경이 자신이었다. 알고 있다. 저 세상 모든 것이 신기하고 재밌는 명도에게는 아무런 잘못이 없다. 그저 태경은 스스로에게 화가 났다. 그림을 놓아버린 자신을 아직은 인정하고 싶지 않아 어설프게 숨겨뒀는데, 의도치 않게 눈에 띈 이 상황들이…… 어떻게든 유예하려던 상황과 마주치고, 그로 인해 마음의 준비가 되지 않은 자신을 확인하는 일들이 너무 화가 났던 것이다. 태경은 눈물이 왈칵 올라왔다. 그리고 저 뭣도 모르는 명도에게 화를 낸 자신에게 너무 화가 나 그 자리에 쪼그려 앉아 속절없이 펑펑 울고 말았다. 혼이 잔뜩 나 눈치를 보며 풀이 죽어 있던 명도는 한 발, 한 발 조심스레 태경에게 다가왔다. 그리고는 미안하다는 듯이 태경의 손을 핥아 주었다. 처음 만났을 때처럼…… 아무것도 모르는 강아지주제에 뭘 안 다고 위로 따위를 해주는 건지, 태경은 뜨거운 실소가 새어 나왔지만 어이없게도 위로가 되고 있었다.

머리가 지끈거렸다. 어제의 일로 혼이 반쯤 빠져버린 태경은 도저 히 이대로는 감당이 안 될 것 같아 인터넷을 두드리기 시작했다. 알 만 한 사람들은 모두가 안다는 반려견 훈련사에 따르면, 산책을 자주 하 면 사고를 덜 칠 것이라는 단호한 어투에 태경은 어쩔 수 없이 무거운 엉덩이를 뗄 수밖에 없었다. 떠돌이 길강아지였던 터라, 목줄 매는 것 부터 난관이었지만, 다행히도 명도의 먹성이 굉장히 좋았던 덕에 간 식으로 꾀어내 어찌어찌 채울 수 있었다. 슬리퍼가 아닌 운동화를 신 는게 얼마만인지…… 1년 가까이 방구석에 틀어박혀 있었더니 그새 모든 것이 귀찮고 어색했다. 그러나 명도는 이번에도 역시나 생각할 틈 따위는 주지 않고, 정신없이 꼬리를 흔들며, 목줄을 세차게 당기는 바람에 태경은 떠밀리듯 집밖을 나왔다.

어디를 어떻게 산책해야 할지 몰라 집 앞을 왔다갔다하고 있으니, 오지랖 넓은 편의점 직원이 반갑다는 듯 웃으며 나왔다. 말끔해진 명 도를 신기해 하며 손을 뻗었지만, 또다시 으르렁거리는 명도에 서운 한 듯 멋쩍게 웃으며 산책하기 좋은 작은 공원을 알려주었다. 다행히 도 집에서 너무 멀지 않은 위치에 있는 공원이었다. 항상 학원, 집, 학 원, 집 뿐이었던 태경은 동네에 이런 안락한 공원이 있는 줄 전혀 몰랐다. 작지만 근사했다. 많이 헤져버렸지만 그만큼 사람들의 온기를 담았을 채도가 낮은 원목 벤치가 특히 마음에 들었다.

'언제든 쉬어 가세요.'라고 말하는 듯 한쪽 벤치에 태경은 잠시 앉았다 가기로 했다. 오랜만에 쉬는 듯한 기분이 들었다. 1년을 매일, 게다가 하루 종일 아무것도 하지 않으면서 쉬었는데, 참으로 아이러니다. 아래를 내려다보니 공원을 모두 자기 코에 담겠다는 듯 여기저기를 기웃거리고 킁킁거리는 명도를 보며, 태경은 집 밖으로 나오길 참 잘했다는 생각이 들었다.

"끼…… 끼!"
태경은 오늘도 명도의 식사재촉으로 하루를 시작한다. 때문에 항상 정오가 지나 느즈막이 일어나던 태경에게는 곤욕이다. 하지만 얼마 동안을 누군가의 보살핌없이 떠돌아다니며 음식물을 주워 먹고 다녔을 명도를 생각하니, 태경은 몸을 일으키지 않을 수가 없었다. 게다가 명도는 불어난 몸집만큼 애교도 늘어나기 시작했다. 짧은 다리로 태경을 툭툭 치는가 하면, 자기 나름대로 소중하게 여기는 것들을 물고와 태경에게 앞에 내려놓으며 꼬리를 흔들곤 했다. 그리고는 자기 털만큼이나 새카만 눈동자를 반짝이며, 그 시선은 태경이만을 향했다.

'나에게 관심을 가져주세요. 예뻐해 주세요. 칭찬해 주세요.'
그 모습에 태경은 학창시절 자신이 떠올라 눈길을 거둘 수 없었다. 명도는 안타깝지만 사랑스러웠으며, 따뜻했지만 사랑받으려 부단히 노력하는 모습이 처절하게도 외로이 느껴졌다. 태경은 명도와 자신의 처지가 퍽 비슷한 것 같다고 느꼈었던 이유를 알 것 같았다.

　평일 오후 4시, 이전과 달라진 것이 있다면, 이제는 명도의 산책시간이라는 것이다. 어릴 적부터 태경은 맞벌이를 하는 부모님 밑에서 외동으로 자라서인지, 한번 눈에 띄는 것이 있으면 집착적일 정도로 끌어안고 정을 주었다. 그림이 그 예였다. 그런데 이번엔 그 타겟이 명도가 된 것 같다. 1년 가까이 방구석에 틀어박혀 있던 태경을 단박에 집 밖으로 끌어내니 말이다. 물론 산책 말고는 여전하다. 여전히 무력하고, 여전히 열등감에서 허우적거리고 있으며, 아무것도 안하고 있다. 그래도 태경은 한 발 나왔다. 명도의 목줄을 출발점 삼아……

　태경은 공원이 어느새 꽤 편해졌다. 명도 또한 익숙해졌는지 이제는 늠름하게 알아서 먼저 길을 안내한다. 매번 똑같다. 항상 같은 자리의 원목 벤치에 앉아 쉬다, 다시 또 일어나 항상 같은 길을 걷는다. 그럼에도 명도는 항상 즐거워한다. 그리고 그 모습을 가만히 보고 있자면 태경 또한 마음이 안정되곤 했다.

　그러나 오늘은 큰일이다. 배변봉투를 깜빡했다. 안절부절 못하는 태경이 꽤나 눈에 띄었는지 뒤에서 강아지 산책을 하던 한 아주머니가 태경에게 다가왔다. 태경의 사정을 들은 아주머니는 감사하게도 배변봉투를 나눠주었다. 그러면서 항상 비슷한 시간대에 본 것 같다며, 태경이 아닌 명도의 이름과 나이를 물었다. 오랜만에 대화에 어색한듯 태경은 조금은 작은 목소리로 떠돌이 길 강아지라 나이가 확실치 않다고 했더니, 아주머니는 젊은 처자가 예쁜 마음을 썼다며 앞으로 종종 인사하자고 말했다. 꾸벅 인사를 하며 뒤 돌아선 태경은 아주머니의 칭찬 덕분인지, 도움 덕분인지 마음이 몽글몽글해졌다. 또한 그럴듯한 소개가 필요 없었던 적도, 사소한 대화를 한 것도 너무 오랜만이었다. 태경은 명도와 조금은 신난 발걸음으로 집으로 돌아왔다.

찰칵, 찰칵, 찰칵!

언제부터인가 태경의 휴대폰은 명도의 전용 카메라가 되었다. 신기하게도 사진첩에 명도의 사진이 쌓여갈수록 태경의 세상도 색을 많이 찾아가고 있었다. 태경은 엄마에게도 잔뜩 명도의 사진을 보냈다. 엄마의 도움을 받은 이유도 있겠지만서도, 엄마의 대한 태경의 소심한 애정 표현이었다.

어릴 적 태경은 지금보다는 훨씬 애정표현이 많은 딸이었다. 외동이라 부모님의 사랑을 온전히 받은 이유도 있었지만, 타고난 성향 자체가 감정표현이 풍부하고, 센스가 있었다. 어쩌면 그 성향이 그림에 꽤 많은 도움을 줬을지도 모른다. 태경의 부모님은 태경이 한번씩 그려주는 그림에 항상 감격스러워 하였고, 그 모습에 태경은 더욱 자신 있게 주변 사람들에게 그림 선물을 하곤 했다. 그래서인지 태경의 그림은 항상 따뜻했다. 하지만 마지막으로 그렸던 태경의 그림은 아니었다. 지금과 같았다. 뭐랄까 소심했다. 엄마와의 연락도 마찬가지였다. 그림도 엄마도 모든 게 점점 더 어려워졌다. 자신이 특별한 줄 알았지만 결국 특별하지 않았던 자신과 마주한 순간 태경은 미술에 대한 애정도, 그동안 기대하고 믿어준 부모님 조차도 마주할 용기가 없어졌던 것이다. 그러나 이제는 마주해야 할 때가 왔음을 태경은 직감했다. 다행히도 태경의 엄마는 그러한 태경을 조용히 기다려주었고, 명도를 통해 다시금 마음이 닿아가고 있었다.

태경은 요즘 지난번 명도가 어지럽혀 놓은 미술도구들에 자꾸만 눈이 간다. 대충 치운다고 치웠는데 오히려 더 눈에 띄는 꼴이었다. 그래도 태경의 학창시절 대부분을 분신처럼 곁에 두고 단짝친구처럼 대했는데, 절교한 친구로 전락해 버린 미술도구들이 안쓰럽고, 한편으로는 지난 시간이 그립기도 하였다. 결국 태경은 오랜만에 미술도구를 챙겼다. 정말 순수하게 명도를 그리기로 했다. 부모님처럼 감격하는 모습은 볼 수는 없겠지만, 온전히 명도를 담아야겠다 싶었다. 태경은 오랜만에 들 붓과 오랜만에 느끼는 감정에 조금은 설레고 있었다.

항상 가는 공원에 명도와 도착했다. 어느 샌가 친숙해진 이 공원과 명도가 참 잘 어울린다고 생각했다. 꽤 한참을 둘러보다 태경은 사람들이 한적해 보이는 원목 벤치에 앉아 붓을 들기 시작했다. 적당한 채도의 풍경 위에 명도.

'아, 이거였다. 깨끗하다 못해 눈이 뻐근하게 새하얀 종이 위에 좋아하는 것을 쌓아 채우는 나만의 기쁨. 잘 그려야 된다는 부담감에서 벗어나 여유 있게 좋아하는 것들을 탐닉하며 머무는 내 시선. 난 역시나 그림이 좋다. 더이상 버림받을까 두려워 먼저 이별을 고하는 연인 따위는 되고 싶지 않다.'

생각에 잠겼던 태경은 묘하게 탁해진 채도에 하늘을 올려다보았다. 뚝,뚝, 한 방울씩 비가 내리기 시작했다. 당황한 태경은 서둘러 짐을 챙기며 명도의 목줄을 잡으려는 순간, 명도가 없어졌음을 깨달았다. 태경은 머리가 새하얘졌다. 아무리 둘러봐도 명도가 없었다. 도대체 언제부터 없어진 것인지, 왜 알아채지 못한 것인지 태경은 스스로를 책망했다. 또한 왜 자신은 항상 이 모양인지 너무나도 진력이 났다. 그리고 모든 게 자신에게만 가혹한 것 같아 갈 길 잃은 분노가 태경의 발을 옴짝 달싹도 못하게 만들었다. 그러나 곧이어 이러한 생각 또한 사치라는 걸 깨달은 태경은 일단 명도를 찾기에만 몰두하기로 했다.

"명도야! 명도야!!"

공원을 아무리 둘러보고 소리쳐도 명도는 보이지 않았다. 태경은 마음이 조급해지기 시작했다. 비는 점점 더 세차게 내리기 시작했고, 태경의 얼굴은 빗물인지 눈물인지 몰골이 말이 아니었다. 그러나 그 따위를 신경 쓸 때가 아니었다.

그때, 우연히 지난번에 도움을 받았던 아주머니와 마주쳤다. 아주머니는 태경의 몰골에 꽤나 놀라며 사연을 듣고는 자기 일처럼 나서서 도와 주기 시작했다. 동네 반려견 산책 커뮤니티가 있다며, 그곳에 일단 올리고 전단지를 만들자 하였다. 태경은 아주머니의 대가 없는 도움에 울컥 엄마 앞에 아이처럼 엉엉 울고 말았다. 아주머니의 연락에 동네 사람들 몇 분이 나와 같이 찾기 시작했고, 비는 어느새 그쳤다.

하지만 결국 명도는 찾지 못했다. 태경의 꼴이 걱정된 아주머니의 성화에 태경은 일단 집에 들어가서 씻고 잠시 쉬기로 했다. 어쩔 수 없이 터덜터덜 눈물을 훔치며 집으로 들어가던 태경을 편의점 직원이 붙잡았다. 그리고 그 곳엔 명도가 있었다. 아, 태경은 안도감에 다리가 풀려 바닥에 주저앉고 말았다. 편의점 직원은 놀라 태경을 얼른 일으켰고, 맞잡은 손에는 또 반창고가 잔뜩 둘러져 있었다. 서둘러 편의점 안을 들어가보니 한 켠에 명도의 목줄이 묶여져 있었고, 그리고 그 앞에는 물에 젖은 수건과 물그릇, 캔사료가 뜯어져 있었다. 저 바보 같은 명도는 이 사태의 심각성을 아는지 모르는지 그저 태경을 보며 꼬리를 세차게 흔들며 웃고있었다. 편의점 직원은 목줄도 있고 버렸을 것 같지 않길래 잃어버렸구나 싶어 혹시나 데리고 있었다며 상황을 말해주었다.

"고맙습니다. 정말 고맙습니다."

태경은 여러차례 거듭 감사인사를 전했다. 그저 고마웠다. 그리고 자신에게 이유 없는 미움을 표출하는 존재에게 어떻게 저런 친절을 베풀 수 있을까 정말 대단하다고 생각했다. 사람들은 자신을 좋아하는 사람을 적어도 싫어하지는 않는다. 허나 자신을 싫어하는 사람은 나도 괜스레 싫어 진다. 사람이 아닌 다른 존재도 마찬가지다. 그러나 편의점 직원에게는 그것을 뛰어넘어 품어 줄 수 있는 따뜻함이 있었다. 부끄러웠다. 사실 한때는 편의점 직원을 무시한 적도 있었던 태경이었다. 편의점 직원은 능력 없는 사람들이나 하는 하찮은 직업이라고 생각했었다. 그래서 능력뿐만 아닌, 다른 모든 것들도 수준 이하일 것이라고 제멋대로 치부하였다. 정작 수준 이하 겁쟁이는 자신이었는데 말이다.

애초에 태경이 작품 활동이란 명목 하에 방구석에 틀어박힌 건 겁이 나서였다.

'남들이 보기에 내 직업이 하찮아 보이면 어떡하지', '남들이 보기에 별볼일 없는 사람처럼 보이면 어떡하지?' 그렇게 겉으로 보이기에 특별한 사람이고 싶어하는 갈망의 무게가 태경을 짓눌러 살기 위해 히키코모리라는 숨어버릴 틈을 만들었던 것이다.

하지만 이제 태경은 좋아 보이는 것에 대한 의심이 들기 시작했다. 애초에 좋아 보이는 것이 무엇인가? 좋은 직업? 좋은 집? 무엇이 좋은 직업인가? 돈을 많이 버는 직업? 무엇이 좋은 집인가? 넓고 쾌적한 집? 물론 필요하고 중요하다. 그러나 욕심이 눈앞을 가리게 된다면 아무리 큰 돈을 벌어도, 멋진 펜트하우스에 살아도 더 큰 갈망의 무게가 평생을 쫓아다니며, 제대로 누릴 수 없을 것이다. 그렇다고 적당히 쉬엄쉬엄 살라는 것이 아니다. 남들이 행복이라 칭하는 것들을 나 또한 행복일 것이라고 착각하지 말라는 것이다. 자신의 행복은 자신이 찾아야 한다. 그것을 태경은 지금 삶의 중심이 된 명도를 통해 다시금 생각하고 있었다. 고작 자신의 프레임 안에 명도에 대한 애정의 물 한 방울 섞었을 뿐인데 숨이 제대로 쉬어지기 시작했다. '고작'이 아니었었나 보다. 어느새 태경의 전부라고 칭해도 아쉬움 없는 소중한 것들이었었나 보다. 10여 년을 넘게 함께해 온 그림, 그리고 고작 만나게 된 지 몇 개월 밖에 안된 명도. 애증이 넘나드는 분명한 태경만의 행복이었다.

태경은 못 다 그린 명도의 그림이 아쉬웠다. 다시 한번 제대로 그려 보고 싶었다. 사실 그동안 어떠한 계기만을 기다려왔던 것일지도 모른다. 태경은 지난번 명도사건으로 인해 몇몇의 미술 도구를 잃어버린 탓에 오랜만에 화방을 찾았다. 기억도 나지 않을 만큼 꽤 오랜만에 들린 화방이었지만, 화방 주인은 태경을 한눈에 알아보았다. 태경이 고른 미술 도구들을 본 화방 주인은 곧이어 안부를 묻기 시작했다. 원래의 태경이라면 얼버무리며 작품 활동을 하고 있다고 그럴듯하게 얘기했을 터였지만, 한때 자주 봤었던 화방 주인 때문이었는지, 요즘 태경의 마음이 한결 가벼워진 탓이었는지, 입시학원 강사를 때려 치고 주워온 강아지집사를 하며 지낸다고 솔직히 말했다. 그 말을 들은 화방 주인은 호탕하게 웃었다. 그리고는 말했다.

"처음으로 편해 보이네. 학생 때부터 간간이 봐 왔지만 지금이 제일 좋아 보여. 하하하"

아이러니다. 좋아 보이기를 포기하자마자 가장 좋아 보인다니……삶이란 언제나 내 뜻 같지 않다. 하지만 그러한 삶이 또 퍽 재밌는 것 같다고 느끼는 태경이었다.

태경은 만반의 준비를 했다. 이번에는 꼭 기필코 명도의 완성작을 그려보겠노라고…… 태경은 명도 사건 이후 바로 동물병원으로 달려가 미루어 두었던 반려동물 등록과 내장 칩, 외장 칩 구비를 완벽히 마쳤으며, 오늘은 이른 아침부터 기상청을 몇 번이나 들여다보며 유난을 떨었다. 다행히도 명도는 별의 별일을 다 겪고도 티 없이 밝고, 한

결같은 무해한 귀여움을 유지 중이며 아주 건강하다. 가끔 보면 저렇게 순한 아이가 어떻게 길거리에서 버텼을까 싶다가도 집 앞 편의점 직원을 떠올려 보면 이해가 가기도 한다. 항상 고마움이 있을 따름이다.

태경은 비장한 각오를 다지며, 명도의 목줄을 꼭 붙잡고 다시금 공원으로 향했다. 그림을 그리기 마땅한 자리를 찾아 돌아다니던 와중 도움을 받았던 아주머니와 동네 주민들이 반려견과 함께 모여 있는 정자가 눈에 띄었다. 명도사건 이후 찾았다는 연락 외에는 제대로 감사인사를 못 전한 것이 못내 신경이 쓰였던 태경은 얼른 공원 근처 편의점에서 비닐봉지 한가득 음료수를 챙겨서 다가갔다. 명도를 찾고 난 후 아주머니는 맘 고생했을 태경을 신경 써 손수 나서서 뒷일까지 정리해주었다. 그런 아주머니를 보며, 태경은 아주머니들은 전부 예민하고 드세다는 생각을 한 것이 얼마나 짧은 시각이었는지, 그리고 얼마나 어설픈 판단이었는지 몸소 느끼며 사죄하는 중이었다.

아주머니는 친구를 마주친 것마냥 밝게 웃으며 태경을 맞이해주었다. 날이 워낙 좋아 하나,둘 모인 게 이렇게 됐다며 태경이 챙겨온 음료수를 받아 주변사람들에게 돌리며 말을 이어갔다. 아직 사람들과의 대화가 어색한 태경은 얼른 자리를 피해볼까 싶기도 했지만, 명도일로 감사한 마음이 커 조금 더 대화를 이어가기로 했다. 곧이어 바리바리 미술도구를 챙겨온 태경을 본 동네주민들은 흥미로운 듯 물었다. 강아지 그림을 그려볼까 한다는 태경의 말에 동네 주민들은 한층 더 흥미로운 눈빛으로 본인들의 반려견들도 그려주고 싶다고 하는 것이 아니겠는가? 명도일로 다같이 고생했던 것을 알았던 터라, 태경은 쉽사리 거절할 수가 없었다. 그렇지만 사실 오랜만에 그리는 그림인 만큼 태경은 자신이 없었다. 옆에서 지켜보고 있던 아주머니는 태경의 당황한 기색을 눈치챈 듯 우선 명도부터라며 동네 주민들을 자제 시키기 시작했다. 그리고 아주머니는 날 좋을 때 얼른 그리라며 태경의 등을 떠밀어주었다.

태경은 다시금 명도와 마땅한 자리를 찾아 돌아다녔다. 하지만 그녀의 마음에 들었던 원목 벤치는 날이 좋았던 터라 이미 산책 중인 다른 사람들의 차지였다. 그나마 앉을 만한 자리가 있는 곳은 여학생이 혼자 앉아 있는 자리였다. 태경은 조심히 다가가 양해를 구했다. 여학생은 흔쾌히 엉덩이를 바깥쪽으로 당기며 자리를 마련해주었고, 태경은 드디어 다시 붓을 들게 되었다. 그 모습에 여학생 또한 흥미가 생긴 듯 슬쩍슬쩍 구경하고 있는 것이 느껴졌다. 태경이는 퍽 부담스러움을 느꼈지만, 곧 그림에 집중했다.

항상 오는 공원이고 매일 보는 명도였지만, 그림으로 그려내려 다시 세세하게 보는 하나하나가 너무나도 예뻐 보였다. 아니, 예쁘게 볼 수 있는 시선을 되찾은 태경이었다. 명도 덕에 태경은 어느새 어두운 모습 대신 밝은 모습을 많이 찾은 듯 보였다. 저 새카만 강아지 한 마리가 태경에게는 가장 밝은 빛이 되어주었던 것이다.

그러던 중 옆에서 구경하고 있던 여학생은 조용히 태경에게 말을 걸어왔다. 알고 보니 입시학원에서 자신이 가르쳤던 학생이었다. 여학생은 태경이 학원을 관둔 것에 꽤나 서운한 듯 보였다. 그리고는 본

인도 곧이어 미술을 관두었다는 것이었다. 태경 때문은 아니었고, 본인의 실력이 턱없이 부족하다는 걸 깨닫고는 어떠한 그림도 그릴 수가 없었다고 하였다. 여학생의 말에 태경은 한없이 공감하며 먹먹함을 감출 수가 없었다. 그래도 지금은 새로운 장래희망이 생겨서 학업에 열중하고 있다는 여학생의 말에 태경은 자신일처럼 안도했다. 여학생은 계속해서 그림을 그리는 있는 태경을 보니 부럽다고 했다. 좋아하는 것을 잘할 수 있는 재능이 부럽다고…… 그 말에 태경은 고개를 떨구며 아니라고 자신도 똑같다며, 그저 할 줄 아는 게 미술뿐이라 다른 것을 시작할 용기가 없어 놓지 못하고 버텨왔을 뿐이라며 말했다. 여학생은 태경의 대답을 듣곤 곰곰이 생각하다 곧이어 말했다.

"저희 엄마가 그랬는데요. 새로 시작하는 것도, 버텨내는 것도 모두 용기가 필요하대요. 그러니까 우리는 더이상 자신을 타박할 필요 없어요 선생님. 힘내요, 우리!"

정제되지 않은 순수한 응원이 태경은 굉장한 위로가 됐다. 그 후로 소소한 수다를 떨다 여학생은 학원 갈 시간이 되었다며 먼저 자리를 떴다.

태경도 다시 그림에 집중했다. 명도는 어느새 엎드려 잠을 청하고 있었다. 누가 떠돌이 길 강아지 출신 아니랄까 봐, 명도는 어디서든 참 잘 잔다. 명도가 지겨운 잠에서 깨어나 간식과 물을 챙겨 먹고 나니 그림이 완성됐다. 원래라면 사진을 찍거나 그리고 싶은 대로 꾸며내 집에서 편하게 그릴 수도 있었지만, 태경은 명도와의 추억이 많은 이 공간을 느끼고 싶었다. 때문에 사건사고도 많았지만, 그 덕분에 많은 것을 깨닫고 경험할 수 있었다. 오랜 만에 완성된 그림에 태경은 마음이 벅찼다. 비록 붓을 놓아버린 지 오래되어 자신이 봐도 많이 어설픈 구석 투성이었지만, 아무래도 좋았다. 한 켠에는 그림, 한 켠에는 명도. 집으로 돌아가는 길이 태경은 행복했다.

다음날, 공원을 향하는 태경 옆에는 명도 말고도 어쩐 일인지 또다시 미술 도구가 함께였다. 태경은 어제 집에 돌아와 한참을 생각했다. 그리고는 답이 없는 문제에 답을 내지 말고 일단 뭐든지 해 보기로 했다. 그 첫 번째가 사람들의 반려견을 그려주는 일이었다.

태경은 다시금 어제 만났었던 정자 쪽으로 향했다. 다행히도 그곳에는 여전히 아주머니와 동네주민들이 있었다. 이제는 아주머니뿐만 아니라 동네주민들도 태경을 반겼다. 태경이 강아지 그림을 그려주러 왔다고 하는 말이 끝나기도 전에, 여기저기서 먼저 그려 달라며 요청이 난무했다. 태경은 자신이 유명한 화가도 아니고, 그림 실력도 모를 텐데, 무작정 그려 달라는 사람들의 모습이 신기했다.

그중 태경은 가장 유난이었던 아저씨의 반려견부터 그리기 시작했다. 하얗고 동그랗게 솜사탕처럼 생긴 것이 어찌나 정신 사납게 돌아다니던지, 주인아저씨와 꼭 빼 닮아 그러나 싶어 그리는 동안 꽤나 웃음이 터졌다. 완성하고 나니 하얀 종이 위에 하얀 강아지가 너무 심심한 것 같아 주인 아저씨도 같이 그려 넣어주었다. 그림을 본 아저씨는 특유의 과장스러움이 섞인 말투로 화가가 나타났다며 또다시 유난을 떨기 시작했다.

"아, 이거 공짜로 받을 수가 없겠는 걸. 이거 완전 작품이야, 작품! 집 방 한가운데 떡하니 걸어 놔야겠어. 어이, 화가 양반 잠시만 기다려 잉. 내가 뭐라도 값을 치뤄야겠고만."

당황한 태경은 값을 치룰 만한 작품이 아니라며 지난번 신세를 갚는 것이라 생각해 달라고 하니 오히려 아저씨는 더 큰 목소리로 말했다.

"그건 같은 반려견 키우는 사람들끼리 돕고 사는 거지 무슨 또 신세여. 서운하게스리. 그리고 그냥 하는 말이 아니여. 너무 고마워서 그려. 선물! 딱 선물 받는 기분이여. 고마워 처자."

아저씨의 진심 어린 표현에 태경은 오히려 자신이 선물을 받는 기분이었다. 아저씨의 말에 삼삼오오 모여 그림을 구경하던 동네 주민들은 너도나도 값을 치뤄야 하는 작품이라며, 그게 본인들도 마음이 편할 것 같다 하였다. 오랜만에 듣는 호들갑스런 칭찬과 따뜻함에 태경은 자신도 모르게 눈물이 흘렀다. 그 모습에 동네 주민들은 놀라 보였지만, 어느 누구 하나도 이유를 묻지 않았다. 그저 태경의 등을 토닥여 줄 뿐이었다.

그 후, 두 달이란 시간이 흘렀다. 그동안 태경에게는 꽤 많은 변화가 생겼다. 태경은 집 앞 편의점에 파트타임으로 아르바이트를 하기 시작했고, 동네 주민들의 그림도 모두 그려주었다. 물론 값은 받지 않았다. 그냥 그러고 싶었다. 태경은 자신의 그림을 좋아해주고, 기대해 주는 것만으로도 충분한 값을 받은 것이라고 했다. 그 덕에 명도의 사회성도 꽤 많이 좋아졌다. 이제는 편의점 직원에게도 으르렁대지 않는다. 그리고 태경의 사정을 들은 편의점 사장님은 명도를 편의점 명예 직원이라는 직함을 달아 편의점 출입을 자유로이 허락해 주었다. 태경은 편의점에 피해가 갈까 싶어 한사코 거절했지만, 이미 '공원의 자유로운 화가'라 소문이 난 태경과 껌딱지 명도 덕에 멀리서도 보러 오는 손님이 있다며 거절을 거절하였다.

결국 태경은 새로운 직업을 찾았다. 아, 편의점 직원이 아니라 반려동물을 전문으로 그려주는 그림작가 일을 제대로 해보기로 했다. 태경의 소식을 들은 엄마는 잠시 걱정을 하더니, 곧이어 태경의 선택을 존중해 주었다. 엄마는 명도를 핑계로 태경에게 연락을 더 자주 할 수 있게 되어 요즘 즐거워 보였다. 그런 엄마의 마음을 아는 태경 또한 명도의 사진과 함께 간간이 자신의 일상도 풀어놓고 있다.

'찰싹…… 찰싹……'

태경은 약속한 세 달의 편의점 아르바이트를 마치고 지금은 조금 먼 바다에 와있다. 그림작가 일을 시작하기전 명도와 조금 멀리 여행을 다녀오고 싶었다. 태경에게 명도는 다시 삶의 손잡이를 열게 해준 선물 같은 존재였는데, 명도에게 자신은 어떠한 존재일지 궁금했다. 그래도 한결같이 자신에게 시선을 떼지 않는 껌딱지 명도를 보며, 적어도 필요 없는 존재는 아니지 않을까 좋게 생각하기로 했다. 햇살을 한아름 받아 퍼지는 윤슬이 반짝이는 바다를 세 발자국 앞에 두고 바라보며 태경은 명도를 꼭 껴안으며 속삭였다.

"고마워. 나의 약간은 괴이하지만 사랑스러운 친구, 명도야."

삶이란 좋아하는 것들을 찾아가는 여정이 아닐까? 그것이 무엇이 됐던 좋아하는 것이 있다는 것은 삶이 벅찰 때 숨쉴 수 있게 만드는 하나의 희망이 되고는 한다. 물론 갑자기 좋아 진만큼 갑자기 싫증이 날 수도 있다. 그렇지만 싫증 또한 한때의 감정이 아니던가. 좋아하게 됐었던 순간, 그 순간을 다시금 떠올려보자. 그리고 그 순간의 소중함을 외면하지 말자. 고마움을 갖자. 그러다가 여유가 조금 생기면 '나' 스스로도 조금은 좋아해 보길. '나'라는 존재에 물 한 방울 섞어 다시금 그려 보길.

여러분은 수채화를 그려 보셨나요?

한 겨울밤의 꿈

곽혜연

곽혜연

월요일마다 죽음을 배운다.
일요일마다 삶을 써 내려간다.

스물여덟부터 10년.
호스피스에서의 시간.

죽음을 마주하는 순간이
가장 찬란하게 살아가는
소중한 시간이라는 걸
어렴풋이 알 것 같다.

새벽 6시 25분.

알람 소리에 눈을 뜬다. 천장에 그려진 물 얼룩이 비명을 지르는 것 같다. 창문을 옮겨 다니는 수없이 많은 발그림자가 싫어서 커튼을 달아 달라고 엄마를 귀찮게 했다. 그땐 엄마가 있었다. 누군가 인생은 드라마 같다고 했던가, 어떤 감독이 만들었는지 알 수 없는 내 인생은 망작이다. 드라마틱했던 그 사고로 나는 혼자가 되었다. 눅눅한 반지하 방과 함께.

창문 밖으로 보이는 건 없지만 코끝으로 느끼는 차가운 공기로 지나가는 계절을 알 수 있다. 적당히 껴입고 참치캔을 하나 챙긴다. 현관문을 열면 바로 왼쪽에 창고 같은 게 있다. 위층에 사는 사람들이 버려 놓은 쓸모없는 것들이 쌓여 있는데, 이용가치는 없고 버리기엔 골치 아픈 그런 대형 폐기물들은 다 이곳 반지하로 오는 것 같다. 들고 나온 참치캔을 따서 켜켜이 쌓인 물건들 사이로 집어넣는다. 쭉 밀어 넣는데 어제 넣어둔 참치 캔이 안에서 부딪혔다. 벌써 2주째, 좁은 틈 안에서 허겁지겁 참치를 먹어 치우던 작은 고양이가 보이지 않는다.

지하철역으로 가는 걸음 내내 노란 고양이를 떠올렸다. 고양이가 잘못될 만큼 추운 날씨는 아니라고 생각했고, 먼 동네로 놀러 갔을 거라 여긴 지 열흘이 넘었다. 종종 뉴스에서 보던, 동물을 학대하는 악마 같은 인간들이 떠올랐지만, 나에겐 그저 먼 이야기라고 여겼다.

걸음을 멈추게 한 건 핸드폰 진동 때문이었다. 이 시간에 나에게 연락할 사람은 없다. 점퍼 주머니에 찔러 넣은 손끝에서 진동이 느껴진 지 오래되었지만, 선뜻 확인하지 못했다. 지하철 계단을 내려가면서 손가락으로 핸드폰을 툭, 툭, 건드려 보았지만, 지하철을 타고 나서야 핸드폰을 꺼내 보았다. 핸드폰 메시지는 온통 읽지 않은 광고성 문자 뿐이다. 종종 알바 대타를 해줄 수 있겠냐는 사장님들의 연락도 있었지만, 최근엔 그마저도 없었다. 핸드폰 진동의 주인은 채용 결과 메일이었다. 선뜻 확인하지 못하고 첫 번째 알바에 도착했다.

오늘 같은 주말에는 호텔 웨딩 알바로 하루를 시작한다. 오전부터 두세 시간 간격으로 진행되는 결혼식 뷔페의 테이블을 세팅하고, 식이 시작되면 저마다 한껏 꾸민 사람들이 한 입씩 먹고 쌓아 놓은 그릇들을 치운다. 대형 스크린을 통해 보이는 결혼식 장면을 흘깃 보며 감상에 젖었던 때도 있었다. 나한테도 저런 날이 올까 하는 막연한 기대감보다는 절대 가질 수 없을 것 같은 절망감이 컸다. 노동의 강도를 못 느낄 만큼 쓰리고 아렸다. 그래도 그땐 사람 비슷했던 것 같다. 지금은 스크린에 눈길조차 주지 않고 식사하는 사람들의 그릇에만 시선이 향한다. 시각에 반응하는 팔과 다리는 정상 작동하지만, 시각적 감각이 뇌로 전달되는 경로는 상실한 지 오래다. 서빙하는 AI 로봇과 다를 게 뭐가 있을까.

북적였던 홀이 어느덧 텅 비었다. 옷을 갈아입으면서 핸드폰을 다시 꺼낸다. 액정 위에서 한참을 허우적거리던 손가락이 겨우 메일 제목에 가 닿았다.

"안녕하십니까,

TS그룹 채용 전형에 지원해 주셔서 감사합니다.

이서은님께는 안타깝게도 이번 공채에서 합격의 기쁜 소식을 전해드리지 못하게 되었습니다. 이서은님의 뛰어난 역량과 잠재력에도 불구하고 제한된 선발 인원으로 인해 합격 소식을 전해드리지 못한 점널리 양해 부탁드립니다…"

날 위해주는 척 좋은 말로 포장해 논 불합격 메일이 휴지통에 가득하다. 뛰어난 역량과 잠재력은 애초에 나한테 없다. 그런 걸 발견할 여유도 만들 시간도 없었다. 나는 절대 평범한 직장인이 될 수 없다는 사실을 굳이 공들여 확인하는 것 같다. 알고 있었지만, 되도록 많은 사람의 입을 통해 듣는 과정이다. 내 삶에서 일말의 가능성도 남겨두지 않을 것이다. 작은 희망은 더 큰 열정을 만들어 낸다. 열정이 커지면 결국엔 수많은 파편을 허공에 뿌리며 터져버린다. 다시 주워 담을 엄두도 못 낼 만큼.

여전히 나의 감각은 감정을 배제한 채 자동화되어 있다. 어떠한 뇌의 지시도 없이 편의점 저녁 알바로 발걸음을 향했다. 주말이나 공휴일, 명절 같은 날에 단 한 번도 알바를 빼본 적이 없다. 이런 알바생을 두고 만족스러워 한 사장은 내 알바 시간을 늘렸다. 그때 알았다. 날 귀하게 여기는 고마운 마음이 아니었다는 걸. 가성비 좋은 기계를 더 많이 활용하며 일명 봉을 뽑겠다는 본전을 찾게 되는 마음이란 것을 말이다.

유통기한이 지나 더 이상 판매할 수 없는 상품들을 가방에 쑤셔 넣는다. 내가 유일하게 돈을 들여 구입하는 건 고양이용 참치 캔이다. 이젠 그 노란 고양이의 식성까지 알아버렸다. 좋아하는 맛의 참치 캔을 집으려는데, 며칠 동안 먹은 흔적 없이 놓여 있던 참치 캔들이 떠올랐다. 새로운 참치 캔을 사면서 입맛 까다로운 아기 고양이의 반찬 투정을 상상해 본다. 아무 일 없었던 듯 나타나 줄지어 놓여 있는 참치 캔들을 뷔페 삼아 허겁지겁 먹어 치우길 바라면서.

집으로 돌아가는 새벽 한 시에는 시린 냄새가 난다. 하루 종일 사람들이 지나다닌 동네 골목은 구석구석 작은 쓰레기들이 박혀 있고, 계절과 상관없이 그날의 가장 차가운 공기로 채워져 있다. 그 공기들을 압축하고 응축해 놓은 곳이 바로 내가 사는 집인 것 같다. 집으로 가는 내내 골목에 쌓여 있는 쓰레기봉투 틈 사이사이를 흘깃 본다. 하필이면 노란색인 종량제 봉투가 마음을 들었다 놨다 한다. 결국엔 도착해버린 반지하 계단을 내려간다. 센서 등 하나 없는 깜깜한 계단이지만 익숙한 발끝 감각으로 아무렇지 않게 내려갔다. 그때 1층 입구에서 한껏 취한 목소리가 들렸다.

"응 그렇다니까? 내가 지하에 있는 쓰레기 같은 것들 싹 다 처리했지. 재수 없는 도둑고양이들은 다 갖다 죽여야 해, 이놈의 집구석 답답하고 안 풀리는 건 불길한 고양이들 때문이야."

위층 어딘가 사는 중년의 남자라는 걸 단번에 알아차렸다. 휘청휘청 발자국마다 체중을 실어서 지하에 있는 방이 울리는 것 같다. 누군가와 통화를 하는지 건물 전체에 쩌렁쩌렁 목소리가 퍼졌다. 그 목소리가 깨운 건 고요한 새벽만이 아니었다. 마치 에스프레소를 연거푸 두 잔 원샷한 것처럼 정신이 맑아졌다. 감각이 뇌에 가서 닿은 것 같았다.

깜깜한 현관문 앞에서 얼마나 서 있었는지 모르겠다. 오늘도 노란 고양이가 끝내 보이지 않는다.

새벽 6시 25분.

알람 소리, 그리고 천장의 물 얼룩.

달라진 게 있다면 알바 가는 길마다 뻗친 골목 사이 사이를 유심히 쳐다본다는 것이다. 허름하고 외진 곳에 있는, 그리고 연로한 약사가 있을 법한 약국을 찾는다. 어려서부터 살던 동네지만 샅샅이 들여다

본 골목은 마치 처음 이사 온 것처럼 새로웠다. 그렇게 오래 살면서도 가보지 않았던 골목의 끝에서 허름하다 못해 지저분해 보이기까지 한 약국을 발견했다. 뿌연 유리창 너머로 제멋대로 쌓인 약상자들 때문에 약국 내부가 잘 안 보였다. 유리창 가까이에 가서 보니 신문을 읽는 백발의 약사가 보였다.

'요즘 세상에 여전히 신문을 읽는 사람이 있네'

약국 문을 열고 들어서자 읽던 신문을 접으며 인사를 건네는 약사는 족히 70살은 넘어 보였다.

"어서 오세요. 어디가 아파서 왔어?"
"저… 그게… 요새 잠이 안 와서요…"
"그건 요즘 젊은 사람들이 하도 핸드폰을 들여다봐서 그래, 핸드폰 딱 내려놓고 자기 전에 따뜻하게 우유 한 잔 마시고 자봐!"

역시 약국을 잘 고른 것 같다. 수면제는 처방전이 꼭 필요하다는데, 여기는 처방전 없이도 대충 수면제를 내어줄 것 같은 작은 기대감이 생겼다. 세상 돌아가는 것에 밝지 않아서 불법을 저지르고도 모를 것 같은 그런 약국 말이다.

"수면제… 좀… 살 수 있을까요?"

"당연하지, 약국인데 약이 없을까 봐? 그런데 너무 약에 의존하지 말고 일단 따뜻한 우유 한 잔 마셔보라니까?

하마터면 환호성을 지를 뻔했다. 작은 기쁨 같은 것이 느껴진 게 얼마 만인지 헤아릴 수도 없었다. 과거의 기쁜 데이터 따위가 없으니까. 적당한 단어를 찾지 못해 아무 대답도 못 하자, 한숨을 푹 내쉰 약사가 체념하듯 약통 하나를 꺼냈다.

"학생 인상이 참~ 좋아서 좋은 수면제 추천해 주는 거야, 이거 딱 하나만 먹어도 잠이 푹 들어서 누가 업어가도 모른다니까? 두세 알 먹었다간 하루를 꼬박 잠들 만큼 효과 만점이지."

혹시라도 처방전을 달라고 하면 어떤 핑계를 대면서 수면제를 달라고 해야 할지 다양한 버전을 고민하다가 가격을 물었다.

"얼마에요?"
"오천 원"

지긋한 연세 탓에 절차를 잊은 게 분명하다. 인지하지 못할 때 얼른 사서 약국을 빠져나가야겠다는 생각으로 서둘러 돈을 내고 도망치듯 나왔다.

"수면제라는 게 한 번에 너무 많이 먹으면 못써~!"

급하게 나오는 내 뒤통수에 대고 수면제의 복용법을 친절히 읊어주는 약사를 보니 머지않아 이 약국도 곧 문을 닫겠구나 싶었다. 물론 나는 이후에 이 약국이 문을 닫을지, 운 좋게 영업을 이어 나갈지 알 리 없겠지만.

어떻게 지구가 수억의 시간 동안 어지럽게 자전과 공전을 해왔는지 알 것 같다. 어떻게 한 번도 쉬지 않고 적당한 맥박으로 심장이 뛰어왔는지도 알 것 같았다. 수면제를 한 통 가득 손에 넣고도 나의 발은 알바하러 간다. 관성이라는 건 법칙이 맞는 것 같다. 오늘 밤 내가 깨버릴 법칙.

오늘은 편의점에서 유통기한이 지난 제품을 챙기지 않았다. 이젠 연료를 넣을 필요가 없는 몸이다. 지금 남은 에너지면 충분하다. 어김없이 눅눅한 현관문을 열면서 습관처럼 쓸모없는 것들이 쌓인 그 공간을 쳐다본다. 오늘 밤 쓸모없는 알바 기계 하나가 노란 고양이처럼 조용히 사라져 버릴 것이다.

하얀 약통에 노란 수면제가 가득 들어 있다. 하필이면 노란색, 그 알약 색깔 덕분에 주춤할 뻔했던 순간은 나를 붙잡지 못했다. 한 줌 가득 쥐고 물을 연거푸 삼켰다. 알약의 개수가 많아서 점점 삼키기 힘들어졌다. 나의 삶은 마지막까지도 쉬운 게 없다. 반쯤 비운 약통을 아무렇게나 두고 잘 준비를 했다. 그만하면 충분했다.

잠자리에 누워 알람을 맞춘다. 대상이 없는 나의 복수는 내일 새벽 알람 소리를 거역하고 절대 일어나지 않는 것이다. 공전 궤도를 이탈하면 태양과 멀어지겠지만 어지럽지는 않을 것 같다. 끝이 보이지 않는 시간을 끊어낼 것이다.

삐– 삐– 삐–

늘 듣던 알람 소리가 아니다. 늘 맡던 퀴퀴한 지하 냄새도 아니다. 작지만 거슬리는 저 알람 소리를 끄고 싶은데 눈꺼풀이 말을 안 듣는다. 아마도 난 계획에 실패한 것 같고, 이건 수면제의 부작용인 것 같다. 얼마큼의 시간이 지난 걸까. 힘들게 들어 올린 눈꺼풀에 보인 건 늘 보던 천장 얼룩이 아닌 눈이 부시도록 켜 놓은 형광등이다.

"잘 주무셨어요, 엄마?"

반지하 방 창문 밖을 지나는 사람들이 하는 말이 가까이에서 들리는 듯 또렷하다.

"병실이 너무 건조하지? 오늘 윤서방한테 가습기 좀 갖다 달라고 해야겠어."

바로 옆에서 말하는 것 같다. 수면제의 부작용과 함께 계획이 실패

할 줄 알았다면 수면제를 남김없이 다 먹었을 걸 하는 후회를 하며 다시 눈을 감았다.

"엄마, 그만 자요~ 이따 밤에 잠 못 자."

내 오른쪽 어깨를 만지며 말하는 목소리에 깜짝 놀라 눈을 떴다. 바로 옆에서 중년의 여성이 나를 보며 말하고 있다. 이제야 살펴보니 여긴 내 방이 아닌 병원 병실인 것 같다. 우리 집에 올 사람이 없었을 텐데… 수면제를 먹은 나를 발견한 누군가가 병원으로 데려왔나 보다.

'그런데 이 여자는 누구지?'

묻고 싶지만, 입이 떨어지지 않는다. 기력이 없다. 이때 병실 문을 열고 의료진으로 보이는 사람들이 여럿 들어온다. 의사 가운을 입은 남자가 말을 걸었다.

"안녕하세요~ 이서은님~ 잘 주무셨어요? 지난밤에는 통증이 좀 잡혀서 다행이에요. 오늘은 이서은님이 좋아하시는 원예 요법이 있는 날이에요. 복수가 차서 조금 힘드시겠지만, 오늘 즐겁게 꽃꽂이하셨으면 좋겠어요. 내일 상황 보고 복수 배액 시술 일정 잡아볼게요."

죽다 살아난 사람을 보면서 꽃이니 뭐니 웃으면서 말하는 것도 이상한데, 복수가 찼다는 건 무슨 말인지 하나도 이해가 안 되었다. 옆에 있던 하얀 가운의 여자가 말을 보탰다.

"오늘 자원봉사자들이 오는 날이에요. 다리 부기가 많으니까, 봉사자들한테 발 마사지해달라고 하세요~ 지난주에 발 마사지 받고 너무 좋다고 하셨었잖아요? 이번 주도 발 마사지 받으세요~"

상글상글 웃으며 말하는 이 여자가 호스피스 복지사라는 걸 알기까지는 며칠의 시간이 걸렸다. 그리고 내가 여든한 살의 노인이라는 걸 이해하기까지는 더 많은 시간이 걸렸다. 나는 지금 여든한 살의 난소암 말기, 호스피스 병동에 입원 중인 환자다.

며칠을 자고 일어났지만 변한 건 없었다. 매일 병실에서 눈을 뜨고 하루를 보내고 중간중간 잠을 잤다. 시간이 지날수록 꿈속의 나비처럼 익숙해졌다. 내가 있는 이 병동은 호스피스 병동이라고 한다. 살면서 한 번쯤 들어본 적 있었지만, 감기에 걸려도 웬만해서는 병원에 가지 않는 내가 호스피스가 어떤 곳인지 알리 없었다.

그런 내가 602호 병실에 누워있다. 다인실이라서 나 말고도 세 명의 환자가 더 있는데, 두 명은 연세 지긋한 할머니이고 나머지 한 명은 마흔 살의 젊은 여자였다. 하루 종일 하는 거라곤 왜 이런 상황이 되었는지 답이 없는 문제에 대한 해답을 찾는 것이었다. 그리고 병실 침대에 누워 주변 이야기에 귀동냥할 뿐이었다.

엄마의 존재조차 생각나지 않는 내가 여든한 살 할머니가 되었을 땐 가족이라는 게 있는 것 같다. 옆에서 하루 종일 쉬지 않고 이야기하는 중년의 딸이 하나 있다. 사위도 있고 손자도 있다. 무엇보다 80대 노인의 모습을 한 남편이 있다. 시간이 지나도 익숙해지지 않은 건 가족이라는 이름으로 병실을 지키고 있는 이 사람들이다. 끝내 익숙해지지 않아도 될 터였다. 나는 얼마 지나지 않아 난소에 있는 암세포 덕분에 죽을 테니까. 수면제를 털어먹고 잠이 들면 깔끔하게 죽을 수 있을 거라 생각했는데, 죽는 것마저도 내 뜻대로 되지 않고 귀찮아졌을 뿐이다.

따뜻하게 젖은 수건이 얼굴을 닦아내면 아침이 온 걸 알 수 있다. 거칠고 쭈글쭈글한 손에 로션을 묻혀 투박하게 바르는 손길 덕분에 아침잠에서 깬다. 병실에 상주하며 아내를 돌보는 80대 노인의 측은함을 생각해서 참아내고 있지만 영 마뜩잖은 손길이다. 엄밀히 말하면 몸이 내 마음만큼 움직여지지 않아서 참아진다는 말이 더 맞을 것 같다. 알바가 아무리 힘들어도 내 몸 상태는 '피곤하다'는 단어 하나로 충분히 표현 가능했다. 그런데 지금 내 몸뚱아리는 각개전투를 벌이는 것 같다. 팔다리는 물론이고 몸속 장기 하나하나가 어디 붙어 있는지 알 만큼 통증으로 신호를 보내온다. 기운이 좀 있는 날은 아프다는 말이 입 밖으로 새어 나오고, 그렇지 못한 날은 베갯잇을 흥건하게 적신 땀을 보고 간호사가 진통제를 추가 한다. 되도록이면 말을 하고 싶지 않았다. 내 목에서 나오는 낯선 노인의 목소리는 피하고 싶었다.

"여보, 오늘 자원봉사자분들이 오는 날이라는데, 목욕 좀 할려?"

딱히 대꾸하지 않아도 열심히 말을 걸어대는 말 많은 할아버지다. 이내 병실에 들어오는 사람들의 발소리가 들린다. 분홍색 가운을 입은 사람들을 보니 자원봉사자들인가 보다. 월, 수, 금 오전이면 분홍 가운의 봉사자들이 호스피스 병실 이곳저곳을 누비며 환자들을 귀찮게 한다. 내가 누워 있는 침대를 에워싼 사람들이 하나둘 말을 꺼내기 시작한다.

"이서은님~ 오늘은 밖이 많이 춥네요. 지난밤 잘 주무셨어요?"
"어젯밤은 잘 잤어요, 그렇지 여보?"

나를 대신해 대답하는 할아버지가 온 얼굴의 주름을 다 사용하며 환하게 웃었다. 호스피스라는 이 병동은 참 이상한 것 같다. 나만 빼고 모두 기분이 좋아 보인다. 말기 암 환자들이 가득한 병동을 평온해 보이는 미소와 말투로 채운다.

"오늘은 아내 목욕을 좀 해주실 수 있을까요? 그동안 열이 오르락내리락하는 통에 열흘을 넘게 못 씻은 것 같아요."

조금이라도 기운이 있었다면 날 목욕시켜 달라고 이야기하는 할아버지의 입을 막고 싶었다. 호스피스 병동에서 눈을 뜬 이상한 일을 겪은 지도 며칠이 지났고 마침 온몸이 건조한 참이었다. 그렇지만 다른 사람들이 날 목욕시켜 주다니, 상상하기 싫은 일이었다.

"이서은님, 오늘 목욕해 드릴게요. 간호사실에서 컨디션 체크 후 목욕 가능한지 말씀 주실 거예요."

내 몸을 놓고 그들끼리 결정해 버린 사항이었지만, 다행히 나의 마지막 결재가 남아 있었다. 나의 의사를 묻는 말에 고개를 저었고, 환자 본인이 의사결정이 가능한 상황이라면 우선시 되는 시스템이었다.

"오늘 기운 없고 힘드신가 봐요. 우리 봉사자들이 월요일 수요일 금요일 오전마다 오니까 하고 싶은 날에 언제든 말씀하세요. 그럼, 오늘은 샴푸라도 하실래요? 침대에 누워 계시기만 하면 돼요. 샴푸하고 나면 상쾌한 오후 보내실 수 있을 거예요."

목욕을 거절한 조금은 미안한 마음에 샴푸를 해주겠다는 말엔 고개를 끄덕였다.

"이서은님 종교가 있으실까요? 샴푸 전에 함께 기도해 드릴게요."

나에게 종교가 있을 리 없었다. 신이 있다면 평화롭게 기도하는 게 아니라 따지고 싶었다. 행복과 불행의 총량이 일정하다는데, 불행을 쏟아부은 내 삶에 대한 신의 의도를 묻고 싶었다. 양 조절에 실패한 내 삶을 보상해 줄 수 있는지 묻고 싶었다. 신이 완벽하다면 유일한 실수는 내 삶일 것이다.

번호표를 뽑거나 대기 예약을 걸어 놓아야 하는 것도 아닌데, 나에겐 신을 만나는 것마저도 사치로 느껴졌다. 주말이면 평일보다 높은 시급으로 더 많은 시간을 일하기 때문에 성당이나 교회에 갈 수 없었다. 한없이 자비롭다는 신을 만나는 것도 여유 있는 사람들이나 하는 것이었다.

"종교가 있지는 않은데… 집사람이랑 산에 다니면서 절에도 좀 다니고, 굳이 말하자면 불교 같네요, 허허"

산을 오르고 절에도 다녔다는 할아버지의 말을 들으니, 노부부가 함께 올랐을 꽤 다정한 모습이 떠올랐다. 이게 정말 나의 마지막 삶 속이라면, 신이 저지른 실수가 조금은 위로가 되는 순간이었다.

내 남편이라는 저 할아버지가 얼마나 열심히 절에 다녔는지는 모르겠지만, 덕분에 병실 전체에 불교 기도가 울려 퍼졌다. '나무아비타불 모지 사바하'로 끝나는 기도가 중독성 있었다. 나의 오른손은 할아버지가, 왼손은 봉사자가 잡은 채 기도가 진행되었다. 간호사가 종종 와서 조절하던 진통제처럼 손을 잡고 기도하는 사람들의 소리에 온몸에 약이 도는 듯 조금은 편안해졌다. 기도를 끝낸 봉사자들이 조금 뒤에 와서 샴푸를 해주겠다며 말하고는 옆에 있던 40대의 젊은 환자에게

갔다. 이윽고 병실엔 가톨릭 기도가 울려 퍼졌다. 이 여자 환자는 성당을 다니는 것 같았다. 번갈아 가며 병실을 지키던 남편과 친정엄마가 함께 기도하고 있다. 어린 두 자녀가 병실에 오는 날이면 진통제를 잊을 만큼 여자 환자의 얼굴이 하루 종일 밝다. 미술 요법이나 음악 요법을 하면서 아이들과 소중한 시간을 보낸다. 자원봉사자들이 오는 날이면 병동에 다양한 종교의 기도가 들리는데, 예수와 부처의 콜라보레이션이 싫지는 않았다. 그들이 힘을 합친다면 어벤져스보다 막강한 파워가 생기지 않을까. 내 옆의 젊은 여자 환자한테는 그 힘이 가서 닿았으면 싶었다.

이런저런 생각을 하다가 깜빡 잠이 들었나 보다. 부스럭거리는 소리에 눈을 뜨고 보니 샴푸를 준비하는 자원봉사자들이 머리맡에서 부산을 떨고 있다.

"침대 올리겠습니다~ 편하게 누워계시면 돼요."

능숙하게 샴푸를 진행하는 봉사자들 뒤로 할아버지가 보인다. 내 발을 지그시 잡고 나를 안심 시키려는 듯 바라보고 있다. 큰 수술이나 시술도 아닌데 노심초사 바라보는 할아버지의 시선에 왠지 모르게 마음이 편안해졌다. 때로는 말보다 강력하게 전달할 수 있는 무언의 감각이 있다는 걸 처음 알았다.

침대 위에 방수 매트를 깔고 세면대와 비슷한 모양의 얕은 판을 머리 뒤에 받혀 놓았다. 침대 위에 누워서 머리를 감는 게 가능할지, 괜히 여기저기 다 젖어서 귀찮게 환의를 갈아입고 침대 시트까지 다 교체하느라 피곤해지지 않을지 걱정한 건 기우였다.

"이서은님, 물 온도 괜찮으세요?"

고개를 끄덕이자 이내 샴푸가 시작되었다. 왼쪽에 선 한 명은 물이 들어가지 않도록 내 양 귀를 감아쥐고, 오른쪽에 서 있는 사람은 능숙하게 내 머리카락에 거품을 냈다. 정수리 쪽에 한 명이 더 서 있었는데 따뜻한 물을 담은 주전자를 들고 물을 부어 주었다. 순식간에 샴푸를 끝내고 난 후 드라이기를 틀며 말했다.

"날씨가 쌀쌀해져서 머리카락은 바짝 말려 드릴게요~ 감기 걸리면 안되니까요. 머리 감으니까 한결 상쾌하시죠? 오늘 오후엔 낮잠 푹 주무시면 되겠다, 그렇죠?"
"고맙습니다."

나도 모르게 입에서 툭 튀어나온 말에 스스로도 깜짝 놀랐다. 옆에서는 할아버지가 연신 머리를 쓸어 넘겨주고 있다. 순식간에 샴푸 했던 도구들을 정리한 자원봉사자들이 옆에 있는 다른 할머니 환자에게 옮겨 갔다. 침대 각도를 조절해 놓고 천천히 병실을 둘러본다. 여든 한 살의 내 몸에서 눈을 뜬 후 꽤 많은 아침과 밤이 있었다. 오늘에서야 처음으로 주변에 관심을 갖고 살펴보는 것 같다.

옆 환자에게 간 봉사자들은 발 마사지를 해주겠다고 환자에게 이야기 한 뒤 역시나 일사불란하게 마사지를 준비했다. 발 밑에 방수 패드를 깔아 놓고는 양쪽에 한 명씩 서서 마사지를 시작했다. 마사지크림과 아로마 오일을 섞어서 두 발 가득 도포했다. 두 명의 봉사자들 이었지만 마치 한 명이 하는 것처럼 오른쪽, 왼쪽 발을 맞춰서 마사지를 했다. 누워서 마사지를 받는 할머니는 병동에 내내 누워 있어서 발에 각질도 많고 냄새도 날 거라며 부끄러워하셨는데, 마사지를 하는 봉사자들은 마사지 내내 단 한 번 찡그린 표정이 없었다. 오히려 싱긋 웃으며 환자, 보호자와 이야기를 나누며 마사지를 했고, 나는 그 모습을 한참 쳐다봤다.

봉사자들이 한바탕 휩쓸고 간 병실은 조용한 오후를 맞이 했다. 오전에 머리를 감겨 주던 봉사자의 말이 내게 주문을 건 것처럼 한결 상쾌해진 기분으로 낮잠을 잤다. 모처럼의 단잠을 깨운 건 시끄러운 꼬마의 목소리였다. 아직은 낮잠에서 깨고 싶지 않아 눈을 감은 채로 다시 잠을 청하려 했지만, 꼬물꼬물 손을 간지럽히는 꼬마 덕분에 정신이 맑아지고야 말았다.

"할머니! 할머니 잘 잤어요? 윤수 왔어요. 할머니~ 오늘 학교에서 팥 찜질팩 만들었는데 할머니 주려고 가져왔어요."

초등학생쯤 되어 보이는 남자아이. 내 딸이라는 여자와 함께 와서는 온 병실을 헤집고 다닌다. 병실 옆 가족실에 있는 전자레인지에 팥 찜질팩을 넣고 한참을 들여다본다. 2분 타이머가 울리고 전자레인지 속 찜질팩을 호호 불며 병실로 돌아왔다.

"할머니 뱃속에 나쁜 병이 살고 있대요. 그래서 할머니가 아픈 거래요. 윤수가 할머니 배 안 아프게 찜질해 줄게요."

학창 시절 교과서에서 봤던 '고사리 같은 손'이라는 단어가 형상화된 느낌이었다. 작고 고운 고사리 같은 손에 찜질팩을 쥐고 배 위를 한참 쓰다듬었다. 엄마를 간병하고 있는 아빠를 걱정하는 딸의 목소리가 희미해졌고, 언제인지 모를 순간 잠에 빠져들었다. 갑작스럽게 시작된 격렬한 고통에 눈을 뜬 건 그날 밤이었다.

거친 신음이 입 밖으로 마구 새어 나왔고, 분주하게 움직이는 간호사도 본 것 같다. 마약성 진통제가 몸에 들어오면서 정신이 아득했다가 또렷해지기를 반복했다. 누군가의 손이 땀으로 젖은 환자복을 갈아 입혔다. 길고 긴 꿈속에서 또 다른 꿈으로 빠져드는 것 같았다.

며칠이 지났는지 알 수 없는 시간이 흘렀다. 병동 침대에 누워 있었지만 스스로 자세를 바꿀 수 있던 내 몸은 눈에 띄게 쇠약해졌다. 매일 얼굴을 어루만져 주는 할아버지의 손길에 어느샌가 익숙함이 느껴졌고, 타인의 손에 맡기기 불편했던 몸도 경계가 풀어지기 시작했다.

딸이 옆을 지키던 날, 어김없이 봉사자들이 찾아왔다. 성당을 다닌다는 딸의 말에 봉사자들은 일제히 성호를 긋고 가톨릭 기도를 하기 시작했다. 예수와 부처의 콜라보레이션은 여전히 효과 만점인 듯했다. 아무 일도 일어나지 않았으나 모두가 평안을 느꼈다.

거부할 힘도 남아 있지 않은 내게 목욕 봉사가 계획되었다. 어쩌면 거부할 마음이 남아 있지 않았을지도 모르겠다. 간호사가 들어와 나를 살피고는 밝게 웃으며 이야기 했다.

"이서은님, 오늘 열도 없고 통증도 잘 잡혀서 목욕하실 수 있을 것 같아요. 링거는 방수 처리 미리 해드릴 테니 걱정하지 마세요~"

주렁주렁 달려 있던 링거는 목욕하기 수월하게 잠시 제거해 두었고, 링거 바늘은 혈관에 그대로 꽂은 채 방수 처리가 진행되었다. 횟집에서나 보던 방수 앞치마를 두르고 장화를 신은 봉사자들이 와서 침대 전체를 움직여 목욕실로 이동했다.

"목욕실에 오신 걸 환영합니다."

능숙하게 단련된 팀워크의 봉사자들 덕분에 병실 침대에서 목욕 침대로 무리 없이 옮겨졌다. 트랜스포머 같은 목욕 침대는 리모컨 조작한 번으로 단숨에 간이 욕조처럼 변신했고 따뜻한 물이 온몸을 적셨다. 기억에는 없지만 아기 때 이후로 타인에게 몸을 맡겨 본 적이 있을까. 처음엔 수치스러운 마음도 들었지만, 목욕이 진행될수록 편안함이 느껴졌다. 나를 씻기는 조심스러운 손과 중간중간 목욕 과정을 설명하며 안심시키는 따뜻한 대화가 고마웠다. 인간의 존엄성이라는 단어를 말로써 표현할 순 없지만 상황 속에서 느끼고 이해할 수 있다고 생각했다.

목욕이 끝나고 침대가 다시 병실로 돌아갔다.

"엄마, 힘들었지? 우리 엄마 너무 예뻐졌다~ 봉사자님들 고맙습니다. 고생 많으셨어요."

고작 20분 남짓의 목욕 시간 동안 떨어져 있었던 것뿐인데, 자원봉사자들에게 감사를 전하는 딸의 얼굴을 보니 어딘지 모르게 반가운 마음이 들었다. 병원 천장의 따뜻한 불빛을 이불 삼은 눈꺼풀에 자꾸만 힘이 풀렸다. 시야가 어두워지면서 문득 할아버지의 얼굴이 떠올랐고, 딸과 교대한 후 집에 가서 푹 쉬고 있는지 안부가 궁금해졌다. 안부를 묻고 싶은 사람이 있다는 게 보고 싶다는 것일까.

목욕을 한 날, 조금은 고된 하루였지만 처음 느낀 개운한 기분으로 잠이 들었던 것 같다. 그리고는 아득한 꿈속에서 진통제와 함께 허우적거렸다. 복부에서 시작된 통증은 골반을 가르는 듯 심해졌고 부기 때문에 다리에도 통증이 생겼다. 눈을 뜨지 않고 소리로만 마주하는 며칠이 지났고 나는 1인실로 옮겨졌다.

희미하지만 귀에 대고 이야기하는 많은 목소리들이 있었다. 무슨 이야기인지 기억나지 않지만 귀담아듣고 싶었다. 허공에 흩어지는 소리를 붙잡고 싶었다. 그렇게 아득히 소리가 멀어졌다.

삐비빅- 삐비비빅 -

기억 속에 있던 그 알람 소리가 울린다.

새벽 6시 25분.

부디 이런 저도 기억해주세요

배은호

배은호   이런 내 이야기도 좋아해주는 사람아 있을까. 글을 쓸 명분은 그것만으로 충분했습니다. 남들과 조금은 다른 삶을 살았고, 밀도 있는 고민을 했다고 자부합니다. 결코 다시 돌아가고 싶지 않은 인생을 살며 남은 거라곤 약간의 깨달음뿐입니다. 그러니 부디 저의 이야기를 들어주세요. 아주 잠시라도 좋으니 제게 시간을 할애해주세요. 작디 작은 저의 인생도 한 순간만큼은 기억해주세요.

블로그 : https://blog.naver.com/clsrna3

유튜브 : https://www.youtube.com/channel/UCmEAjvXIg-qwqFCwY_R3ziA

인스타그램 : @uno_0307

그녀는 고작 서른에 남편을 잃었다

처음에는 어머니의 혼잣말이 늘어났다고만 생각했다. 허공에 대고 이야기하는 횟수가 늘었다. 라디오나 TV를 틀어 놓고는 대화를 나누기도 했다. 뭔가 이상하다고 생각했지만 14살은 너무 어린 나이었다. 조현병이 뭔지도 모르는데 마땅한 대처를 하기는 어려웠다. 어머니는 집에 도청 장치가 있다고 믿었으며, 전문가를 불러 검사를 하기도 했다. 물론 도청 장치는 없었고, 어머니는 그새 장치를 제거했다고 믿었다. 어머니와 허공의 대화는 끝나지 않았고, 가정은 조금씩 삐걱거리기 시작했다.

한 때 '멜로가 체질'이라는 드라마를 즐겨 봤다. 등장 인물 한 명은 죽은 남자친구와 대화를 나눈다. 대표적인 조현병 증상이다. 친구들은 그녀와 함께 살며 혹여나 그녀가 잘못될까 걱정한다. 그들에게 조현병은 성장을 위한 역경이며, 가족과 친구들이 함께 모이는 계기가 된다. 화면 너머의 조현병은 아름답고 로맨틱하다. 그들은 어떠한 의학적 도움 없이 병을 극복한다. 가족, 친구, 연인과 함께 모든 증상에서 벗어난다. 그런 장면들을 보면 속이 울렁거린다. 만약 그들의 가족이 조현병에 걸렸다면, 결코 마냥 아름다운 이야기를 그리진 않았을 것이다. 병은 늘 함께였던 사람들을 뿔뿔이 흩어지게 한다. 친구는 커녕 가족끼리도 단절시키고 만다. 그 삶은 감히 지옥이라고 해도 과언이 아니다.

어머니는 제법 똑똑하고 강한 여자였다. 젊은 나이에 남편을 잃었지만 무너지지 않으려 애썼다. 아들이 아비가 없단 이유로 무시당해선 안 됐기에 학원을 차렸다. 그래도 엄마가 학원 원장이면 어디 가서 무시당할 일은 없다고 생각했나 보다. 어머니는 말 그대로 악착같이 살았다. 아침에는 녹즙 배달을 하고 오후에는 학원을 운영했다. 들인 노력에 비해 결과는 별로 좋지 않았다. 건물주와의 문제로 학원을 내놓아야 했고, 그때부터 조금씩 가세가 기울기 시작했다. 작은 방 한 칸에서 어머니와 함께 지내며, 어머니는 한동안 방문 과외를 하며 생활비를 마련했다.

가난했지만 마냥 괴롭지는 않았다. 보일러가 안 나와서 물을 끓여 샤워했다. 그래도 한 달에 한 번씩은 치킨을 먹었다. 비싼 옷을 사 입을 돈은 없어도 일 년에 한 번씩은 바다에 갔다. 불우한 인생에 가까웠으나 소박한 행복은 분명히 있었다. 그러나 조현병은 예고 없이 찾아와 행복을 산산조각 냈다. 어머니는 늘 생명의 위협을 느꼈다. 누군가 자신을 감시하고 죽이려 한다고 생각했다. 자신의 학원이 망한 이유, 더 나아가 아버지가 죽은 이유도 누군가의 음모라고 믿었다. 생명의 위협을 느끼니 더 이상 집 밖을 나가지 않았다. 모든 일을 그만두고 기초생활 수급비만을 가지고 생활했다. 그날, 이전과는 비교도 하지 못할 가난이 시작됐다.

어머니는 온종일 허공에 대고 중얼거렸다. 때로는 따지듯이 쏘아붙이고, 어느 날에는 조곤조곤 묻기도 했다. 처음에는 내 앞에서는 조금 조심하려 했지만, 시간이 지나자 시도 때도 없이 혼잣말했다. 그 모습을 보자니 정말 짜증이 났다. 어머니에게 화를 내는 날이 많아졌다. 잠깐 화를 내면 잠잠해졌다. 죄책감은 분명히 있었다. 이유야 어찌 됐든 부모에게 욕하며 화내는 아들이 되었다. 그래도 그렇게 하지 않으면 어머니의 병을 마주해야 했다. 똑똑하고 강한 여자의 약해진 모습을 직면해야 했다. 아쉽게도 내게는 그럴 용기가 없었다.

조현병은 결코 강하고 끈끈해지는 계기가 될 수 없다. 어머니가 무너진 이유는 결코 그녀가 약해서가 아니다. 그냥 조현병이 원래 그렇다. 이 사실을 받아들이기가 참 힘들다. 한없이 어머니를 원망하던 시절도 있다. 욕하고 짜증 내며 제발 정신을 차리라고 말했다. 그러나 정신을 차린다고 될 문제가 아니었다. 병은 정말 은밀하지만 빠르게 찾아와 한 사람을 무너뜨렸다. 사랑하는 사람의 무너짐을 보는 일은 참 어렵다. 그 모습을 보고 있자면 나도 한없이 약해지고, 결국은 나 역시 무너지고 만다. 여전히 내가 약해서 그렇다고 하면 할 말이 없다. 하지만 조현병이 원래 그렇다.

현재 어머니의 상태는 많이 괜찮아졌다. 이제는 병원 생활에 만족하며, 평생 병원에서 살고 싶다고도 말한다. 그럴 때마다 자식의 속은 한없이 먹먹해진다. 아쉽게도 불행을 극복하는 방법 따윈 없다. 나는 여전히 조현병 환자의 아들이며, 아마 어머니는 죽을 때까지 병을 앓을 것이다. 이 고약한 녀석은 그렇게 쉽게 우리 곁을 떠나지 않는다. 아마 앞으로도 나와 어머니를 괴롭힐 게 분명하다. 아쉽게도 나는 전혀 성숙하지 않았고, 지금도 수화기 너머로 어머니에게 화를 낸다. 망가진 어머니를 보는 일은 몇 번을 해도 익숙해지지 않는다. 나는 여전히 그녀가 너무나도 원망스럽다.

그러나 어머니의 모습도 인생이다. 그 안에는 세상이 기대하는 역경과 고난은 없다. 매일같이 괴롭히는 불행만 있을 뿐이다. 안타깝게도 자신의 병을 이해하고 함께 싸워주는 아들도 없다. 왜 당신은 이 모양이냐며 원망하는 불효자만 있을 뿐이다. 값싼 동정을 바라진 않는다. 연민은 사람을 더더욱 비참하게 만든다. 나는 그저 이러한 삶도 있다고, 이것 또한 인생이라고 말하고 싶다. 어쩌면 내 인생에 불행을 극복한 해피엔딩은 없을지도 모른다. 그저 묵묵히 삶을 살아갈 뿐이다. 조현병에 걸린 불쌍한 여자와 그의 아들은 여전히 지금을 살고 있다.

나는 아직 너무 어리다

'네가 어머니를 지켜야 한다.'

어렸을 때부터 줄곧 듣던 말이다. 만나는 어른마다 아이에게 막중한 임무를 주었다. 나는 그 말의 뜻도 모른 채 알겠다고 대답했다. 같은 말을 계속해서 들었기 때문일까. 확실히 또래 아이들에게는 없는 책임감을 느꼈다. 엇나가거나 삐뚤어져서는 안 됐다. 어머니에게는 나밖에 없었기 때문이다. 어머니의 말씀을 잘 들어야 했고, 나쁜 길로 빠지지 않도록 조심해야 했다. 내가 어머니를 지켜야 했기 때문이다. 일찍 남편을 잃은 불쌍한 홀어머니, 그녀에게 좋은 일들만 가득하기를 바랐다.

인생은 기대처럼 흘러가지 않았다. 조현병에 걸린 어머니는 세상과 서서히 멀어지다 완전히 단절되었다. 나는 아직도 지난날을 후회한다. 역시 내가 무엇이라도 해야 하지 않았을까. 어머니는 십 년이 넘는 세월을 조현병과 싸웠다. 내게도 10년의 세월이 있었다. 그동안 내가 할 수 있는 일이 분명히 있지 않았을까. 주위 어른들에게 도움을 청했어야 했다. 괴롭더라도 친척들에게 사실을 알려야 했다. 내가 조금이라도 빨리 조처했으면, 상황이 조금은 나아지지 않았을까.

의사는 누구의 잘못도, 잘못으로 인한 벌도 아니라고 말했다. 사실은 나도 알고 있었다. 내 잘못이 아니었다. 나는 너무 어렸다. 세상에 조현병이라는 병이 있는지도 몰랐다. 강제 입원이 가능하다는 사실도, 어머니가 입원이 필요한 상태인 것도 알지 못했다. 그렇다면 대체왜 나에게 이런 일이 일어났을까. 왜 어머니는 아직도 병원에서 나오지 못하고 있을까. 이유가 있다면 차라리 속이 편하다. 내 잘못이라고 생각하는 편이 낫다. 그러나 마음은 쉽사리 이해되지 않는다. 정말 내 잘못이라면 너무 억울하기 때문이다. 나는 너무 어렸다. 가장이 되기에는 너무 이른 나이였다.

어머니에게 정신 질환이 있다는 걸 확신했을 때, 나는 고작 고등학생이었다. 미성년자는 어머니를 강제 입원시킬 수 없다. 아무것도 하지 못하는 게 당연했을지도 모른다. 그러나 나는 무엇이든 해야 했다. 어떻게든 어머니를 의사 앞에 앉혀야 했다. 최소한의 치료를 받도록 노력해야 했다. 내 어머니였다. 나와 가장 많은 시간을 보냈고, 누구보다 어머니의 상태를 잘 알고 있었다. 오직 나만이 어머니를 지킬 수 있었으며, 힘들다는 이유로 할 일을 미뤄선 안 됐다.

어머니의 병이 지금 시작됐으면 어땠을까. 내가 어느 정도 어른이 되고, 가장이어도 될 나이였으면 조금 달랐을까. 어머니가 조금만 늦게 아팠다면, 적어도 내가 받을 아픔은 줄어들지 않았을까. 그러나 인생은 우리를 기다려주지 않는다. 감히 충분한 시간을 허락하지 않는다. 사고는 언제나 예상하지 못하게 터지고, 우리는 준비되지 않은 상태에서 불운을 마주한다. 미리 준비할 시간이 있다면 좋겠지만, 준비된다고 뭐가 다를까 싶다. 불행은 도저히 익숙해지질 않는다.

그저 너무 어렸을 뿐이다. 어머니의 상황을 받아들이기에 나는 너무 어렸다. 지금도 마찬가지다. 어머니의 병원 생활을 받아들이기에 나는 너무 어리다. 우리는 종종 자신에게 실망한다. 너무 많은 기대를 하기 때문이다. 좋은 직장에 취직하고 싶고, 돈 걱정하지 않으며 살고 싶다. 그러나 뜻대로 되지 않는다. 인생은 예상치도 못한 시기에 우리를 괴롭힌다. 때로는 도저히 감당하지 못할 위기가 찾아오기도 한다. 도저히 아무것도 할 수 없는 순간이 오게 마련이다. 그럴 때는 그냥 주저앉아 버리자. 그냥 한 마디 내뱉고는 받아들이자.

'나는 아직 너무 어리구나.

불효자라 손가락질 받더라도

어머니는 불안에 떨며 나의 손을 꼭 잡았다. 군대에서 휴가를 나온 아들이 경찰 둘을 데려왔다. 그녀는 이 낯선 상황이 이해되지 않았다. 함께 온 복지사는 이럴 때일수록 내가 단호해야 한다고 다그쳤다. 나는 애써 미소 지으며 괜찮다고 말했다. 아들의 괜찮다는 말에, 그녀는 이제야 발걸음을 옮겼다. 그녀는 아직도 상황이 이해되지 않는다. 오랜만에 본 아들이 본인을 어디에 데려가는지도 모른다. 그저 아들의 괜찮다는 말만 듣고, 두려움을 삼키고는 경찰과 함께 병원으로 향한다. 어머니가 조현병을 앓은 지 10년 만에 그녀는 병원에 입원하였고, 그날 밤 불효자는 하염없이 눈물을 쏟아냈다.

처음으로 어머니가 이상하다는 생각을 한 건 14살 때의 일이었다. 어머니는 강한 여자였다. 조현병에 시달리면서도 어머니의 책임을 외면하지 않았다. 방문 과외를 하며 넉넉하진 않지만 부족하지도 않게 가정을 이끌었다. 병세가 언제부터 악화했는지는 나도 정확히 모르겠다. 점점 일하는 시간이 줄어들더니, 어느 순간 어떠한 경제 활동도 하지 않았다. 경제 활동뿐만 아니라 집 밖을 나가는 횟수도 현저히 줄어들었다. 잘 다니던 교회도 그만두었고, 가끔 연락하던 친구들과도 더이상 만나지 않았다. 나는 그때쯤 무언가 잘못되었음을 깨달았다.

어머니의 강제 입원을 생각하지 않은 건 아니었지만, 쉽게 결심이 서지 않았다. 지금까지 나를 키워 준 어머니를, 남편도 없이 모진 삶을 살아 온 어머니를 정신병원에 집어넣을 순 없었다. 사실 대학을 다니면서 어머니에 대한 관심도가 조금 떨어지기도 했다. 타지에서 생활을 하다 보니 당장 어머니를 볼 일이 없었고, 당장 심각하게 받아 들이지를 않았다. 어머니의 병세는 나날이 악화하였지만, 내 눈에 보이지 않으니 그만이었다. 방치된 채 점점 심각해진 어머니의 증세는, 내가 군대를 가자 폭발하고 말았다.

훈련소는 내게 지옥과 같았다. 어머니가 메일같이 부대에 전화해서 사람들을 괴롭혔다. 나는 관심사병으로 분류되어 특별 관리를 받았다. 한 번은 간부가 군 면제 심사를 받아보지 않겠냐고 물었지만, 나는 차마 어머니를 팔아 군 면제를 받고 싶지 않았다. 무엇보다 어떤 형태로든 어머니의 문제를 직면하고 싶지 않았다. 아쉽게도 어머니의 병은 내 사정을 봐주지 않았다. 아들이 잘못될지도 모른다고 생각했기 때문일까. 어머니의 망상은 날이 갈수록 더욱 심해졌다. 급기야 내가 자기 아들이 아니라는 망상까지 하게 되었다. 그 말을 듣고 얼마나 울었는지 모른다. 더 이상 어머니를 그대로 둘 순 없었다. 다음 휴가 때는 어머니를 입원시켜야겠다고 결심했으며, 행정보급관은 부모를 정신병원에 집어넣는 자식이라며 내게 핀잔을 줬다.

나는 어떻게 해야 했을까. 차마 부모를 정신병원에 집어넣어선 안 되니, 어머니의 삶이 망가지는 모습을 방관해야 했을까. 그날의 선택을 후회하진 않는다. 오히려 조금 더 일찍 결심하지 못해 후회된다. 내가 조금 더 어머니의 상태에 관심을 가졌다면, 어쩌면 어머니는 지금쯤 병원 밖에서 지내고 있진 않았을까. 어머니를 병원에 보내기 전까지, 나는 어머니의 상태를 방관하는 불효자였다. 어머니의 입원을 결정한 순간, 나는 부모를 정신병원에 집어넣는 불효자가 되었다. 세상은 아들의 이야기에는 관심이 없다. 남편을 잃고 조현병까지 앓는 불쌍한 홀어미만 있을 뿐이다. 그들에게 그녀의 아들은 어머니의 병을 방관한 불효자일 뿐이다.

가난한 사람의 꿈은 가난해야 한다

공부가 하고 싶었다. 군대를 다녀오고 나서는 온종일 공부만 했다. 수업이 끝나면 열람실에 가서 예습과 복습을 했다. 따로 책을 읽으며 공부가 부족한 부분을 채워 나갔다. 수업이 끝나기 전에는 항상 질문을 했으며, 친구들 사이에서는 질문 좀 그만하라는 질타를 받기도 했다. 그래도 공부는 재미있었다. 소질이 있다는 생각까지 들었다. 이대로 계속 공부를 한다면 좋은 신학자가 될지도 모른다고 생각했다.

신학에는 정답이 없다. 근거만 충분하다면 무슨 말이든 해도 된다. 그게 참 마음에 들었다. 나는 비주류 신학에 관심이 많았다. 항상 의심을 멈추지 않았다. 종종 신을 믿긴 하냐는 질문을 듣기도 했다. 이교도 취급 받아도 괜찮았다. 다행히 나의 길을 먼저 걸어 온 학자들이 있었다. 그들의 생각을 파고드는 게 재밌었다. 논리를 점점 단단하게 만들어가는 과정이 흥미로웠다. 공부는 끝이 없었고 매일 새로운 학문이 나를 반겼다. 딱히 좋은 성적을 받기 위한 공부를 하지는 않았다. 그런 데도 성적도 썩 나쁘지 않았다. 그야말로 흐름이었다.

흐름을 방해한 존재는 다름 아닌 어머니였다. 어머니의 상태는 점점 괜찮아지고 있었다. 병원 진료가 생각보다 효과가 더 좋았다. 병원에 입원한 지 2달 만에 퇴원 진단을 받았다. 10년이라는 시간이 원망스러울 정도였다. 의사도 이렇게 빨리 호전되는 경우는 드물다고 했다. 어머니는 퇴원 후 열심히 살았다. 10년이 넘는 기간 동안 하지 못한 어미 노릇을 늦게라도 하려 했다. 조금이지만 돈도 벌기 시작했다. 이제야 인생이 조금 피나 싶었다. 어머니가 이대로 본인의 인생을 산다면, 나는 하고 싶은 공부를 해도 된다고 생각했다.

그러나 인생은 그리 호락호락하지 않았다. 어머니께 걸려 온 전화한 통이 시작이었다. 어머니는 다시 입원하고 싶다고 했다. 조현병 증상이 다시 도지기 시작했다. 사실 어머니의 이상 증세는 조금씩 느끼고 있었다. 약을 타러 병원에 가는 횟수가 줄어들었다. 당연히 약을 꾸준히 먹지 않았을 테고, 대화에서 금방 그 사실을 눈치챌 수 있었다. 그런데도 따로 조처하진 않았다. 이제 조금은 어머니의 치다꺼리를 하지 않아도 됐다. 드디어 내 인생을 살아도 된다는 안도감도 들었다. 다시금 어머니 때문에 내 삶을 포기할 순 없었다.

내가 조금만 더 민감하게 반응했으면 달랐을까. 어머니는 결국 다시 입원 생활을 시작했다. 사람들은 스스로 입원을 한 것만으로 어머니가 대단하다고 말했다. 어머니의 상태가 그리 심각하진 않다며 나를 위로했다. 속도 모르는 소리였다. 내게는 똑같았다. 제 발로 병원에 들어가든, 강제 입원 당하든 나한텐 같았다. 여전히 내가 책임져야 하는 존재였으며, 내 꿈을 방해하는 짐 덩어리였다. 어머니는 1년이 지나도록 병원에서 나오지 않았다.

고상하게 공부나 할 때가 아니었다. 적성과 흥미에 따라 꿈을 좇아선 안 됐다. 어머니에게 버팀목이 되어야 했다. 병원 생활에 너무 만족하고 있는 어머니, 그녀의 일상을 지켜줘야 했다. 최악을 생각할 수밖에 없었다. 어머니의 증상이 지금보다 심해지면 어쩌지. 조현병 말고 다른 병까지 걸리면 어쩌지. 더 나아가 죽음 이후까지 생각해야 했다. 결국은 모두 나의 몫이었다. 혹시라도 어머니에게 또 다른 사고가 발생한다면, 수습은 모두 아들인 나의 역할이다. 훗날을 위해 돈이 필요했다.

사람들은 종종 나의 인생을 살라고 말한다. 하지만 어찌 평생 나만 보며 살아 온 어머니를 외면할 수 있겠는가. 어쩌면 내 욕심인지도 모른다. 스스로 어머니의 버팀목을 자처하는 꼴이다. 좋은 아들이 되고 싶은 내 마음이 문제일 수도 있다. 그러나 나는 어머니의 무력함을 마주할 자신이 없다. 내 인생을 산다는 핑계로 어머니를 내버려 두고 싶지 않다. 대부분 문제는 돈이다. 지금보다 상황이 더 나빠지면 더 많은 돈이 필요할 것이다. 혹시 모를 그날, 돈이 없다는 이유로 무력하게 어머니를 보내고 싶지 않다.

종종 내가 조금 더 이기적이면 어땠을까 생각한다. 어머니의 상황을 신경 쓰지 않았다면, 원하는 공부를 마음껏 하고 있었을까. 10년

후에는 내 이름으로 된 신학 서적을 출간했을까. 나는 여전히 공부가 하고 싶다. 신학은 여전히 흥미로운 주제고, 다행히 아직은 감이 살아 있다. 아마 죽을 때까지 공부에 대한 미련을 버리진 못할 것이다. 공부를 계속했어도 마찬가지다. 어머니에 대한 걱정은 죽을 때까지 나를 괴롭혔음이 분명하다. 결국 나는 둘 중 하나의 짐을 선택했다. 불효자가 되기보단 꿈을 포기하기로 했다.

나는 여전히 어머니가 원망스럽다. 퇴원 후 약만 잘 챙겨 먹었어도, 내가 공부를 그만두는 일은 없었을지도 모른다. 그것은 동시에 나에 대한 원망이다. 내가 어머니의 상태에 조금 더 민감했어야 했다. 어떻게든 약을 먹도록 해야 했다. 어쩌면 죄책감에 대한 벌로 꿈을 포기했는지도 모른다. 부모도 지키지 못하면서 어떻게 꿈을 꿀 수 있겠는가. 무엇이 정답인지는 아직도 모르겠다. 지금 맞는 길을 가고 있을까. 조금이라도 이기적이었어야 하는 건 아닐까. 이제 아무래도 괜찮다. 꿈이야 새로 찾으면 그만이다. 이왕이면 어머니를 책임질 수 있는 꿈을 찾아야 한다. 그래, 분수에 맞는 꿈을 찾으면 그만이다.

열심히나 살 때가 아니었다

손가락 하나 움직일 힘이 없었다. 간신히 일어나 양치를 했지만 당장이라도 쓰러질 것 같았다. 침대에 눕자 앓는 소리가 멈추지 않았다. 온몸이 뒤틀리며 흐느끼기까지 했다. 억지로 일어나려고 하면 세상이

빙글빙글 돌았다. 마치 몸이 강제로 스위치를 내린 듯했다. 10분 정도 지났을까. 어렵게 손만 움직여 핸드폰을 잡았다. 교회 전도사를 하는 때였는데, 이 상태로는 도저히 교회에 갈 수 없었다. 목사님께 전화를 걸어선 미친놈처럼 흐느꼈다. 도저히 일반적인 대화를 할 상태가 아니었다. 너무 힘들다고, 도저히 갈 수 없다고 눈물로 호소했다.

대학을 그만두고도 신학에서 완전히 손을 떼지는 못했다. 전도사 생활을 하며 어떻게든 신학과 연결되려 했다. 돈은 계속 벌어야 했기에 간단한 사무직도 함께 했다. 평일에는 9시부터 6시까지 회사에, 주말은 내내 교회에서 일했다. 그렇게 1년 정도 쉬는 날이 없었다. 6개월 정도 몸을 혹사하니 곧바로 반응이 왔다. 아침에 눈이 늦게 떠지고 피곤함이 가시질 않았다. 몇 번의 탈수가 왔지만 어떻게든 버텼다. 9개월 정도 되자 정신적으로 너무 힘들었다. 우울함이 극에 달하였으며, 스스로 뭔가 잘못되고 있음을 깨달았다.

인터넷에서 우울증, 불안장애, 번 아웃 등 모든 자가 설문을 했다. 하나같이 전문의와의 상담을 권했으며 바로 정신과를 찾았다. 의사에게 받은 진단은 우울장애와 불안장애였다. 주기적으로 상담을 받으며 약을 먹기 시작했다. 신기하게도 약을 먹으니 상태가 금방 괜찮아졌다. 우울함이 줄어드니 몸 상태도 조금 좋아졌다. 여전히 너무 힘들었지만 악착같이 버텨냈다. 계속 이렇게 살면 괜찮다고 생각했다. 우선 돈만 벌면 됐다. 돈이 모이면 언제든 다시 공부를 시작하면 된다고 믿었다. 몸을 멈추지 않았으며, 그렇게 1년이 지나자 몸이 완전히 고장 나 버렸다.

어쩌면 몸은 진작부터 신호를 줬는지도 모른다. 우울과 불안이 신호가 아니었을까. 몸은 계속해서 내게 이야기했다. 그만하면 됐다고. 충분히 열심히 했으니 그만 좀 쉬라고. 나는 애써 몸이 보내는 말들을 무시했다. 사실 언제 무너져도 이상하지 않은 상태였다. 애초에 있지도 않았던 아버지와 조현병에 걸린 어머니. 어머니의 모습을 지켜보며 어린 나이에 가장의 무게를 짊어졌다. 돈을 벌 때도, 공부할 때도 아니었다. 마음껏 어리광 부렸어야 했다. 너무 힘들다고 주저앉았어야 했다. 하지만 그럴 수 없었다. 나마저 무너져선 안 됐다. 너무 큰 욕심이었을까. 야속하게도 몸은 내 말을 들어주지 않았다.

증상이 심할 때는 엘리베이터도 타지 못했다. 백화점이나 아웃렛처럼 사람이 많은 곳에선 속이 울렁거렸다. 잠자리에 들려고 하면 미친 듯이 발작을 일으켰다. 몸이 뒤틀리고 펄쩍펄쩍 뛰었다. 너무 억울했다. 그저 열심히 살 뿐이었다. 노력은 내 유일한 무기였다. 아비가 없어도, 어미가 정신 병원에 있어도 노력은 공정했다. 혹여나 나에 대해 편견이 생겨도 괜찮았다. 그만큼 더 노력하면 그만이었다. 병은 마치 내 노력을 비웃듯이 찾아왔다. 열심히 한 걸음씩 발을 떼는 나를, 한 걸음도 움직이지 못하게 만들었다.

그만 좀 쉬어야지 않겠냐고 말을 많이 들었다. 잠깐 쉬어도 아무 일도 일어나지 않는다며, 천천히 걸어도 된다고 했다. 속 편한 이야기였다. 내게는 당장 생활비가 필요했다. 돈은 꿈을 위한 거름이 되기도 했다. 남들보다 잘난 것 하나 없는 몸뚱이였다. 열심히 뛰기라도 하지 않으면 살아남을 방법이 없었다. 그런데 열심히 뛰기 때문에 몸이 망가졌다. 내가 가진 무기는 노력 단 하나였는데, 하나뿐인 무기가 고스란히 내 발목을 잘랐다.

발목이 잘리니 주저앉을 수밖에 없었고, 온몸에 힘이 없어 아무것도 하지 못했다. 몸의 모든 스위치는 꺼졌으며, 나는 강제로 쉬게 되었다. 전도사를 그만뒀기에 이전보다 수입이 조금 줄었다. 그토록 바라던 꿈과도 멀어지게 되었다. 그러나 아무 일도 일어나지 않았다. 수입에 맞게 지출도 조금 줄었다. 예전만큼 돈을 모으진 못했지만, 삶에 지장은 없었다. 꿈이 없다고 세상이 무너지진 않았다. 조금은 홀가분한 느낌도 들었다. 내 무기는 노력 하나인 줄 알았는데, 그 무기를 쥐고 있느라 다른 것들을 들지 못했다. 짊어지고 있던 짐을 내려놓으니, 훨씬 가볍게 뛸 수 있었다.

아, 열심히나 살 때가 아니었다. 내 목을 졸라매고 있는 건 다름 아닌 나 자신이었다. 당장 많은 돈을 벌지 않으면 큰일이 난다고 생각했다. 하나뿐인 꿈을 포기하면 세상이 망하는 줄 알았다. 돈이 없어도 일상은 변하지 않았고, 꿈을 잃었다고 하늘이 무너지진 않았다. 어쩌면 우리는 지레 겁을 먹고 있는지도 모른다. 자신에게 너무 혹독한 잣대를 들이밀고 있진 않을까. 나 하나 잠시 멈춰 선다고 지구가 멈추진 않는다. 요령 좀 피우면서 살아야 한다. 열심히 좀 살라고 잔소리를 들으면 어떤가. 그 누구도 내 인생을 책임져주진 않는다. 나는 누구보다 나의 목소리에 관심을 기울여야 한다.

제가 어찌 신께 감사하겠어요

어머니는 신께 감사한다. 부모가 없다시피 자란 자식은 어엿한 직장인이 되었다. 어머니의 도움 없이 대학 생활을 마쳤다. 방학이면 일자리를 구해 등록금과 생활비를 마련했다. 느닷없이 신학을 그만둔다고 하여 걱정했지만, 이내 취업해서 자리를 잡아가고 있다. 어머니는 늘 죄책감에 시달렸다. 제대로 된 부모 노릇을 하지 못했다는 죄책감, 그런데도 자식은 별문제 없이 잘 컸다. 신께 감사하기 충분한 상황이다. 자식이 알아서 잘 커 줬으니, 이처럼 감사할 일이 또 있을까.

나는 지금의 삶을 원하지 않았다. 공부가 하고 싶었다. 학자가 되고 싶었고, 교수가 되어 학문을 연구하고 싶었다. 어머니의 퇴원을 간절히 원했다. 어머니는 뭐 하시냐는 질문에 더 이상 얼버무리고 싶지 않았다. 무엇보다 내게는 어머니가 필요했다. 죽고 싶어질 정도로 외로울 때 전화를 받아 줄 사람이, 세상이 내게 등을 돌려도 온전히 내 편이 될 어머니가 필요했다. 취업은 정말 막막했다. 내세울 경력도 학력도 없었다. 취직한 이후에도 1년 정도는 자리를 잡지 못했다.

인생이 요동치다 보니 공황장애도 나아질 기미가 보이지 않았다. 긴장하면 갑자기 숨이 쉬어지지 않았다. 내 의지와는 상관없이 몸이 펄쩍펄쩍 뛰기도 했다. 약을 먹는다고 상황이 크게 달라지진 않았다. 몸을 이완시키다 보니 일에 집중하기가 어려웠다. 약 기운 때문에 아침에 일찍 일어나기도 힘들었다. 그렇게 3년 정도 버텼다. 처음 약을 받았을 때가 기억난다. 2주 치의 아침 약과 저녁 약을 받았는데, 이걸

한 번에 다 먹으면 죽지 않을까 생각했다. 다행히 실행에 옮기진 않았다. 혹시라도 죽지 않았을 때의 삶을 감당할 자신이 없었다.

시간이 지났다고 삶이 나아지진 않았다. 나는 여전히 아버지가 없으며, 사람들은 동정을 멈추지 않는다. 어머니는 여전히 정신 병원에 있으며, 나는 묵묵히 가장의 무게를 짊어졌다. 나는 전혀 괜찮지 않다. 그런데 어머니는 이 상황이 좋나 보다. 아들의 꿈은 안중에도 없다. 죽고 싶을 만큼의 외로움에도 관심이 없다. 그저 돈을 벌고 있으니 마음에 드나 보다. 아들의 속은 어떤지도 모르고, 어머니는 그저 신께 감사했다.

어머니가 누군가에게 감사해야 한다면 그건 신이 아니다. 나는 부모의 손길 없이 어린 시절을 보냈다. 엇나가지 않은 건 신 때문이 아니다. 만약 신이 있다면 내게 아버지를 빼앗아 가선 안 됐다. 여전히 신에게 감사하는 나의 어머니를 정신 병원에 둬서는 안 됐다. 대학을 졸업한 이후로는 미친 듯이 버텨냈다. 평일에는 돈을 벌었고 주말에는 교회에서 일했다. 종종 쓰러지는 일도 있었지만 악착같이 참아냈다. 초월적인 누군가의 도움을 받아서가 아니었다. 수많은 어른 덕분에 쓰러져도 다시 일어날 수 있었다.

나는 신을 믿지 않는다. 신학대학교 나와서는 이상한 소리를 한다고 생각할지도 모른다. 신의 존재 여부를 논하는 게 아니다. 있다고 해도 눈에 보이지 않으면 무슨 소용이겠는가. 나는 신을 신뢰하지 않는다. 어떻게든 믿으려 안간힘을 쓰던 때도 있었다. 대체 왜 내게 이런 시련을 내리냐며, 나는 당신이 생각하는 만큼 강하지 않다고 울부

짖기도 했다. 속은 시원했지만, 상황은 나아지지 않았다. 오히려 점점 나빠지기만 했다. 신학의 꿈을 그만둬야 했을 때, 나는 더 이상 신을 믿을 수 없었다.

누군가는 내게 믿음이 부족하다고 말한다. 고난 가운데서도 믿음을 잃지 않아야 한다고, 신은 여전히 나를 사랑한다고 설득한다. 만약 이것이 믿음의 문제라면, 나는 그냥 믿지 않는 사람이 되기로 했다. 아이에게는 너무 가혹한 시련들이었다. 아버지의 죽음만으로 삶은 충분히 힘들었다. 그런데 어머니에게까지 문제가 생겼다. 14살의 나이는 어머니의 무너짐을 보기엔 너무 어린 나이였다. 그때부터 조금씩 세상과 멀어지는 어머니를 마주했다. 어머니는 아직도 환청에 시달린다. 대체 내가 어찌 신께 감사할 수 있겠는가.

나는 사람들 덕분에 버틸 수 있었다. 동정에 그치더라도 관심을 주는 사람들이 있었다. 내 이야기에 공감하고 대신 분해하며 눈물 흘리는 이들이 있었다. 크고 작은 지원들이 없었다면, 나는 결코 지금까지 견디지 못했을 것이다. 나는 단언컨대 그들에게 감사하다. 내게 도움을 준 한 명 한 명에게 얼마나 고마운지 모른다. 이 마음은 나를 도운 모든 이들에게 향해야 한다. 결코 신께 감사하다며 얼버무려져선 안 된다. 나는 아직 신께 감사할 만큼 성숙하지 못했다.

나는 어머니에게 신이 아니라 나한테 감사하라고 말했다. 어머니는 웃으며 알겠다고 답했다. 결국은 내가 여기까지 버텼다. 내 삶은 수많은 사람의 도움 위에 세워졌다. 그 도움에는 나도 빠지지 않는다. 상황을 탓하지 않았다. 삶을 포기하지 않았다. 언제나 주어진 상황에서 최선을 다했다. 내가 버텼기에 무너지지 않았다. 자신의 강함을 의심해선 안 된다. 나를 여기까지 있게 해 준 사람들을 정확히 기억해야 한다.

장하다 은호야

　장하다는 말이 듣기 싫었다. 그 말에는 언제나 가난이 전제되었다. 아버지는 진작에 돌아가셨고, 하나 뿐인 어머니는 제정신이 아니었다. 누구에게든 내 가정사를 말하면 돌아오는 말은 뻔했다. 어려운 환경에서도 삐뚤어지지 않고 잘 컸다고 말했다. 장하다는 말을 들으면 나는 괜히 심술이 났다. 내 노력이 가난에 묻혀 보였기 때문이다. 나의 장함은 가난에서 빛을 발했다. 만약 내가 양가 부모 멀쩡한 집의 자녀였다면, 과연 여전히 장하다는 말을 들었을까. 나는 있는 모습 그대로 인정받아야 했다. 어느 집에서 태어나든 장할 자신이 있었다. 그러나 세상은 나보다는 가난에 더 관심이 많았다.

　가난한 아이는 일찍 철이 든다고 했던가. 나 역시 철이 일찍 든 편이라고 생각한다. 어릴 때부터 이해되지 않는 것 투성이었다. 남들 다 있는 아버지가 없었다. 이해가 되지 않았지만 이해해야 했다. 왜 나한테만 이런 일이 생겼냐고 따지기보단, 일찍이 마음을 접고 체념하는 편이 빨랐다. 어머니의 병세도 마찬가지다. 무너지지 않기 위해 상황을 이해해야 했다. 살아남기 위해 어떻게 해야 하는지 고민해야 했다. 생존을 위해 발버둥쳤을 뿐인데, 나는 어느새 철이 들어 있었다.

어렸을 때는 철이 든 내 모습이 싫었다. 일부러 밝은 척, 아무 생각 없는 척 행동하기도 했다. 내가 철이 든 이유는 가난하기 때문이었다. 제대로 된 부모의 도움을 받지 못했기 때문이었다. 그래서 남들에게 성숙한 모습을 보이고 싶지 않았다. 성숙함은 가난의 증거였다. 가난의 증거를 보여주고 싶지 않았다. 무엇보다 스스로 가난의 증거이고 싶지 않았다. 또래 아이들처럼 보이려고 안간힘을 썼다. 누구보다 평범한 아이이고 싶었다. 특별히 잘나지도 못나지도 않은, 그저 평범한 사람이고 싶었다.

성인이 되어도 상황은 나아지지 않았다. 부모를 위해 꿈을 포기해야 했다. 감히 내 삶을 살지 못 했다. 나는 그렇게 무모하고 용감한 사람이 아니었다. 그깟 꿈보다야 나를 위해 청춘을 바친 어머니의 삶이 중요했다. 정신병원에 갇힌 불쌍한 우리 어머니. 어머니에게는 말끔한 자식이 필요했다. 나는 든든한 자식이 되어야 했다. 어머니가 맘 편하게 병원에 있을 수 있도록, 어머니의 걱정을 하나라도 덜어야 했다. 그래서 꿈을 포기했다. 어머니에게 필요한 자식은 꿈이나 쫓는 바보가 아니었다.

신학을 때려치우니 할 수 있는 일이 없었다. 무엇보다 돈이 없었다. 우선은 돈을 벌어야 했기에 아르바이트를 시작했다. 생활비 정도 버는 수준이 되었다. 그러나 언제까지고 아르바이트만 할 수는 없었다. 번듯한 일을 하고 싶었다. 단순히 돈을 버는 노동이 아니라, 열정을 바칠 만한 일이 하고 싶었다. 그렇게 무턱대고 취업시장에 뛰어 들었다.

여전히 가진 기술은 없었다. 인문학적 사고 조금과 글 쓰는 재주가 다였다.

다행히 이 정도 재주로도 취직은 됐다. 사실 아르바이트 때와 돈은 비슷하게 벌었다. 그래도 즐거운 일을 찾아서 좋았다. 물론 늘 좋은 일만 있지는 않았다. 회사에서 쫓겨나는 일도 몇 번 있었다. 낭만 가득한 신학생에게 사회의 잔은 지독히도 썼다. 넘어지고 일어나고를 몇 번이나 반복했다. 여전히 쓰라린 일들이 많았지만, 간간히 좋은 일들도 있었다. 같이 일해보지 않겠냐는 제안을 받았을 때는 기분이 너무 좋았다. 세상에 섞이지 못해 매일 밤을 울었는데, 나는 어느새 어엿한 사회인이 되었다.

부모의 도움도 없이 대학 생활을 마쳤다. 취업을 위해 스펙을 쌓을 시간도 돈도 없었다. 나는 당장 내일을 살았을 뿐이다. 이제야 조금은 자리를 잡아가고 있다. 이렇게 보니 나 참 장하다. 아버지가 없는 유년 생활은 매우 힘들다. 무엇보다 주위의 시선이 제일 괴로웠다. 어머니까지 제 정신이 아니었는데도 크게 엇나가지 않았다. 어려운 상황에도 삶을 포기하지 않았고, 지금까지 어떻게든 살아남았다. 열등감 때문이었을까. 스스로에게 너무 인색했다. 다른 사람들의 칭찬을 있는 그대로 받아들이지 못 했다.

나는 지금까지 사람들이 나를 괴롭히고 있다고 생각했다. 불쌍한 우리 어머니를 두고 떠난 아버지, 자식에게 가장의 짐을 떠넘긴 어머니, 그들이 너무 미웠다. 그리고 이 상황을 참관하듯 내게 장하다고 말하는 어른들이 싫었다. 남의 속도 모른 채 아픈 구석을 찌른다고 생각했다. 아픈 구석을 찌르는 건 언제나 나 자신이었다. 내 적은 언제나 나였다. 어른들은 그저 아이가 안쓰러웠을 뿐이다. 혼자서 모든 짐을 끌어안은 내가 짠하면서 대견했을 뿐이다. 나 홀로 열등감에서 나오지 못 했다. 계속해서 숨어들기 바빴다.

조금은 나에게 너그러워도 되지 않았을까. 부모의 사랑에서 크지 못한 불쌍한 아이, 나는 그 아이를 누구보다 잘 알고 있었다. 나만은 나의 편이어야 했다. 누구보다 나를 불쌍히 여기고, 동정을 건네야 했다. 나는 이제야 나에게 연민을 느끼고 있다. 나이가 들었기 때문일까. 밥벌이 정도는 하고 있기 때문일까. 조금은 나를 챙길 여유가 생겼다. 너무 늦었을지도 모르지만, 이제야 나를 챙기려 한다. 어린 나이에 가장의 무게를 짊어져야 했던 나를, 이제야 이해하고 편이 되어주려고 한다. 이렇게 커 줘서 대견한 나를, 조금이라도 자랑스럽게 여기려 한다.

새해엔 행복하고 싶은데

수지우

수지우   봄, 여름엔 한국에서 살고, 가을, 겨울엔 따뜻한 나라에서 살고 싶은 꿈
이 있습니다.
대다수의 시간에는 일을 하고 나머지 시간에는 헬스장에 가는 것을 좋
아합니다.
혼자 있는 것을 좋아하지만, 사람을 매우 흥미롭게 느끼는 것 같습니다.
아참, 고양이를 귀여워하고 제 고양이의 이름은 우롱차 입니다.

인스타그램: @suzi.woo

경험하는 자아와 기억하는 자아

"건강하고 행복하세요"

날숨이 구름이 되는 차디찬 겨울, 새로운 한 해를 맞이하며 우리는 서로에게 입버릇처럼 건강과 행복을 기원한다. 모두가 기원하는 행복이라는 추상적인 단어에 대해 생각해 본다. 모든 사람의 행복의 정의는 다르겠지만, 어떤 이는 여행을 갈 때 행복하다고 느끼고, 어떤 이는 걱정거리가 없으면 행복한 상태라고 하고, 어떤 이는 행복은 그저 삶의 태도라고 한다. 행복이라는 것이 어떠한 상태나 태도일 수도 있지만, 그것만으로 행복을 정의내리기에는 조금 아쉬운 부분이 있지 않을까.

최근에 행복에 대해 얘기한 유튜버의 얘기를 인용하자면, 행복은 관계와 빈도에 관계가 있다고 한다. 생각해 보면 태어나면서 죽을때까지 우리의 일생은 여러 스토리로 이루어진다. 우리가 이런 스토리를 써내려 나갈 때 풍요로운 스토리가 되려면 어떤 것들이 필요한 지 생각해 볼 필요가 있다.

미국의 심리학자이자 경제학자인 다니엘 카너먼은 우리는 경험하는 자아와 기억하는 자아라는 뚜렷이 구분되는 두 존재를 가지고 있다고 한다. 경험하는 자아는 현재 내가 경험하는 것을 느끼는 자이고, 기억하는 자아는 지나간 경험을 회상하고 평가하는 자아이다. 경험은 나와의 관계, 그리고 타인과의 관계를 통하여 만들어내는 나의 스토리를 써나가는 과정이고, 그 스토리가 행복하게 기억되려면 나 자신은 어떤 사람인지, 그리고 나와 관계맺는 사람들은 어떤지에 대해 시간을 내어 곱씹어보는 과정이 필요하지 않을까.

Chapter1. 나

- 나는 무엇을 좋아하는가

기억을 떠올려 보면 아빠는 항상 자연을 관찰하고 기록해왔다. 어렸을 적에 아빠는 나비 채집을 하셨다. 기억해 보면 아빠는 나비 채집을 거의 전문가 수준으로 하고 그것을 보관하는 것 또한 전문가에 가까웠다. 엄마의 콧바람 쐬기 좋아하는 성향과 아빠의 자연 관찰 성향은 죽이 잘 맞았다. 우리 가족은 주말마다 나들이를 가서 아빠는 나비를 잡고 엄마는 일광욕을 하며 우리가 노는 모습을 지켜보았다. 아빠는 우리가 초등학교 때 쓰던 형광 초록색의 장난감 같은 나비채가 아니라 거의 물고기 잡는 그물에 가까운 나비망이라고 해야할 것 같은 도구를 사용했는데, 정말 사람은 도구를 잘 사용해야 한다. 거의 이 세상 나비를 다 잡을 수 있을 정도로 백발 백중이었다. 나비가 꽃이나 나무에 살 앉아 있으면 그 옆에 채를 바짝 붙이고 나비가 팔락이자마자 채로 덮어 낚아채는 권법은 펠프스 뺨치는 날쌘 나비도 당해내지 못할 정도였다.

그렇게 나비를 잡아오면 나비의 날개를 하나하나 펴고 약품 처리를 하고, 기름종이 같은 것에 끼워서 말린 다음 유리 상자에 넣어 보관을 했던 것 같다. 지금 생각해 보면 정말 품이 많이 드는 작업인 것이다. 그 나비 하나하나 밑에 이름을 적어 보관을 했었다. 아빠는 자신이 보지 못했던 나비를 발견하거나 곤충도감에서 보던 나비를 채집하면서 행복해 했던 것 같다. 철마다 다른 나비들을 보면서 소소한 행복을 찾았다, 오래 살던 옛집에서 새로운 집으로 이사를 가면서 엄마에 의해 반강제로 많은 나비들이 우리 집을 떠났는데, 새로운 집에서도 아빠가 나비로 시계모양을 만든 장식품은 나비의 날개들이 부스러 떨어져 나갈 때 즈음까지 함께했다.

이제 나비라면 엄마가 질색팔색을 해서 아빠의 나비사랑은 아마도 막을 내렸는데, 얼마전에 아빠가 또다른 채집을 해왔던 것을 알게 되었다. 여전히 나들이와 여행을 좋아하는 역마살 엄마는 아빠와 주말마다 근교로 나들이를 가는데, 가끔 나도 꼽사리를 끼어 따라간다. 그때마다 아빠는 눈에 보이는 꽃이며 풀들을 찍곤 했다. 어느 날은 내 눈에 똑같은 진달래인데 이 진달래는 어쩌고 저 진달래는 저쩌고 하면서 아빠가 찍은 식물들 사진이 어디 교재에 쓰인다며 뿌듯해 하셨다. 그리고 그대가 기록하고 있는 식물도감을 보여주었다. 아 저렇게 좋아하는 어떤 것을 소위 말하는 덕질하는 것이 아빠의 인생에 풍요로운 색을 더하고 있음을 느꼈다.

일상에서 자기가 좋아하는 것을 찾아 잦은 빈도로 행복을 느끼는 것이 지구별을 여행하러 온 탐험가로서의 좋은 자세가 아닐까 생각해 본다.

- 나의 모난 것을 인정할 수 있는 용기

답정너 라는 말이 유행하던 때가 있었다. 듣고 싶은 대답을 미리 정해놓고 빙빙 돌려 말하는 사람을 일컫는 말. 이 단어가 나에게도 적용되던 시절이 있었던 것 같다.

얼마 전 처음으로 미국 본토 여행을 다녀왔다. 일단 가서 처음 느낀 인상은 백인이 정말 많고, 내 눈에는 백인 같아 보이는 히스패닉, 피부가 검은 사람, 그 중간 어딘가의 사람 등등 너무 다른 사람들이 살고 있다는 것이었다. 우리나라도 지금은 조금 다양한 사람들이 종종 보이지만 어쨌든 기본적으로 피부색이 비슷한 민족으로 구성되어 있다. 그리고 어떻게 보면 조금은 다양하지 않은 잣대를 가지고 자원 부족하고 땅덩이도 작은 나라에서 치열하게 경쟁하며 살고 있다. 그래서 어렸을 때는 성적으로 나래비를 세우고, 졸업해서는 취업가지고 나래비를 세우는 데에 익숙해져 있다. 그래서 자신에 대해서도 팍팍한 잣대를 들이대며 자신의 부족한 부분을 인정하고 사랑하는 것이 어려운 환경 속에 있지 않은가 생각해 본다.

답정너 시절의 나는, 나의 모난 부분을 받아들이기 어려웠던 것 같다. 내 단점들이 너무 크게 보여서 그것을 고치는 데에 혈안이 되어 있었고, 뭐든지 잘해야 한다는 어떤 강박에 사로잡혀서 게으름을 가장한 완벽주의에 빠져 살고 있었던 것 같다. 한 살 한 살 먹어가며 사실 고치기 어려운, 인정해야 하는 나의 단점도 있음을 점점 인정하게 된다.

일단 작년에 운전면허 주행에서 13번 낙방을 했다. 예전에 사고가 나서 운전하기 겁이 난다는 핑계로 13번의 경이로운 낙방 스토리를 미화시켰지만, 사실 어렸을 점선 따라 그리기를 잘 못 할 때 부터 나의 공간지각능력이 그렇게 훌륭하지 못했음을 인정해야한다.

반면에 차가 그렇게 필요하지 않다는 것을 핑계로 운전면허를 따지 않고 있던 아빠는 엄마의 등살에 운전면허를 따기로 한다. 필기부터 주행까지 프리패스로 운전면허를 따고, 경이롭게도 운전면허 취득 일주일 만인 추석에 5시간 넘는 거리인 할머니 댁에 베스트 드라이버의 실력으로 우리 가족을 편하게 데려다 주었다. 지금 생각해 보면 약간 등골이 오싹하기는 하지만 여전히 아빠는 우리 집 베스트 드라이버로 인정받고 있으니 되었다. 그리고 현재는 엄마가 성당에 가면 데려다 주고 끝나면 데리고 오고, 동생 재수 시절에도 출근 전에 데려다 주는 자상한 운전을 즐기는 드라이버이다. 아마 아빠만의 사랑 표현방식인 지도 모른다.

계획을 세워서 무언가를 차근차근 하는 것, 그리고 정리력도 부족하다. 전형적인 P인 나는 여전히 J꿈나무이다.

작년 초에 부모님과 사이판으로 효도 관광을 가장한 효년 관광을 다녀왔다. 정말 누군가를 제대로 보기 위해서는 여행이 제격 일지도 모른다.

평생 안 맞는 줄 알았던 엄마 아빠는 천생 연분이 따로 없었다. 직업병으로 설명하는 걸 좋아하는 과학도 아빠는 아는 것이 있으면 이것저것 미주알 고주알 쓸데 없이 길게 설명을 하고, 엄마는 듣기 싫은게 티나긴 하지만 잘 들어주었다. 아빠는 비행기 표와 일정표, 비자서류까지 사실 좀 쓸데 없는 서류들까지 꼼꼼하게 챙겼다. 그리고 우리가 어지럽혀둔 여러 물건들을 새삼 놀랍도록 잘 정리하고, 시간을 맞추어 우리를 일정에 맞게 이끌었다.

사실 돌이켜보면 학창시절에 내가 프린트 해달라고 부탁하는 기출

문제들, 예상문제들 꾸러미를 폰트 크기까지 맞춰서 년도별 과목별로 철까지 완벽하게 기대 이상으로 가져다 주던 섬세함이 있는 사람이다.

놀라운 것은 지금껏 그런 아빠의 놀라운 장점들을 모르고 살아왔다는 점이다. 대신 아빠에게 원대한 꿈과 야망이 없이 주어진 일만 한다며 조금 답답하게 생각해 왔음을 고백한다. 그런데 결국 우리 아빠도 자기의 커리어에서 거의 정점을 찍고 퇴직을 앞두고 있으니 사실 나만 모르고 다른 사람들은 다 알고 있었나보다. 현재의 일을 꾸준하고 성실하게 잘 해내는 것이야 말로 가장 훌륭한 능력 중의 하나이니까.

이런 아빠의 장점이 보이기 시작한 시점이 나의 고치기 힘든 단점들을 인정할 즈음이다. 사람은 완벽할 수 없고 나 또한 완벽할 수 없음을 인정하니, 다른 사람의 장점들도 크게 다가왔다.

아이유의 '팔레트'에 이런 가사가 나온다.

"오 왜 그럴까 조금 촌스러운 걸 좋아해 그림보다 빼곡히 채운 Palette, 일기, 잠들었던 시간들

I like it. I'm twenty five 날 미워하는 거 알아 I got this. I'm truly fine 이제 조금 알 것 같아 날

..Palette, 일기, 잠들었던 시간들 I like it. I'm twenty five 날 좋아하는 거 알아 I got this. I'm truly fine 이제 조금 알 것 같아 날"

촌스러운걸 좋아하고, 그림을 그리기로 했지만 팔레트만 채웠고, 허점 투성이의 자신이 담긴 일기, 할 일이 있지만 잠들었던 시간. 그리고 나를 미워하지만, 결국 이제 조금 부족한 자신을 받아들이고 결국 나 자신을 사랑해 줄 수 있는 용기.

아이유는 25살의 나이에 똑똑하게도 이 사실을 알았지만, 30이 넘어서 알게 된 나도 기특하지 않은가. 아직 살 날이 구만리인데. 그리고 수많은 훌륭한 면들이 나에게도 있는데! 그러므로 타인의 장점도 바라봐 줄 수 있는 사람이 되었는데!

chapter2. 너

- 친구에도 이상형이 있다?

나이가 먹을수록 챙겨야 할 과업이 많아지고, 몸은 점점 피곤해져서 일과 운동만 하는데에도 체력이 다 소진해서 누군가를 만나는 것이 이제 예전만큼 쉬운 일이 아니다. 그래서 자주는 못만나지만 항상 마음에 담아두고, 내가 그들의 곁에 있다는 것을 알리고픈 사람들이 몇 있다. 먼저 다가가는 것에 서투른 내가 먼저 손내민다는 것은 아주 큰 애정과 그 사람 자체에 대한 좋아하는 감정이 있기 때문일 것이다.

친구에도 이상형이 있다. 마치 나만의 작은 팔레트를 만들어두고, 그 위에 소중한 사람들의 색감을 하나씩 채워가 듯 말이다. 그런 마음

속으로 사모하는 친구들이 어떤 특징을 가졌는지 생각해본다.

먼저, 순진하지는 않아도 순수함을 간직한 사람들, 솔직하고 진솔한 사람들이다. 마치 새하얀 캔버스처럼 어떤 그림이든 그릴 수 있는, 어떤 이야기든지 서로에게 열린 마음을 지닌 사람들이다. 그리고 무언가를 꾸미려 하지 않고 아주 솔직하게 자기 이야기를 얘기하는 데에 주저하지 않고, 있는 그대로 말할 수 있는 용기가 있는 사람들. 그래서 내 얘기를 털어놓기에도 부끄러움이 없어지는 사람들.

그리고 세상이 시키는 대로 살기보다는 자기가 원하는 방향이 무엇인지 생각하고 그 방향대로 살 수 있는 용기를 가진 사람들. 사실 세상을 살다 보면 자신이 그리는 삶의 형태를 잊어버리고 세상이 시키는 대로 살아야 하는 경우가 많다. 특히 사회가 세워놓은 잣대에서 잘 해내던 사람들이 굳이 예를 들면 사업을 한다던지 취업을 하지 않는다던지 삐딱선(?)을 타는 것은 아주 용기있는 자만이 가능하다고 생각한다. 자신이 원하는 삶의 모양이 있고 그를 위해 노력을 기울여 결과를 만들어 내는 사람의 모습은 나에게 큰 영감을 준다. 그들은 굳이 타인의 시선에 얽매이지 않으면서 자신만의 가치관을 추구하고, 명랑함과 순수함을 잃지 않지만 물밑으로 열심히 발길질을 하고 있음을 안다.

굳이 비유를 찾자면 양의 모습을 하고 안에 사자를 키우고 있는 사람들이다. 결국 생각해보면 내가 좋아하는 사람들은 결국에 내가 닮고 싶은 모습이다.

마음속으로 사랑하는 한 언니는 알고 지낸지 어언 9년의 세월이 지났는데, 처음 봤을 때에는 갓 대학원을 졸업해서 거기서 개발한 화장품을 약국에 납품하는 사업을 하고 있었다. 그 때 부터도 알음알음 입소문으로 애기 있는 엄마들 사이에서 순한 약국 화장품으로 유명했었다. 그 시절 자기 제품을 설명할 때면 눈이 반짝반짝 빛나며 아들 딸 자랑하듯 얼마나 좋은지 아주 신이 나 있다고 느꼈다. 가끔 백화점에서 팝업을 열 때 갔었는데 신제품이 나오면 이건 어떻게 발라야 하고 어떤 순서로 쓰면 좋은지, 자신은 어떻게 쓰고 있는지 아주 명랑한 목소리로 말해주어 듣는 나도 신이 났다. 그리고 실제로도 건강함과 탄탄함이 보이는 피부를 가지고 있으니 지갑이 열리지 않을 수 없었다.

그러던 와중에 화해라는 앱이 뜨면서 사람들이 화장품 성분에 대해 관심을 가지기 시작했다. 약국 화장품이던 우리 언니의 브랜드가 확 주목받는 계기가 된 것이다. 그러면서 디렉터 파이라는 화장품 성분 알려주는 유튜버의 영상에도 소개되고 어느날은 라이브 방송을 시작하더니 이제는 올리브영에서도 잘나가는 브랜드가 되어있다. 그간 언니가 한 고생과 수많은 야근의 날들과 지금도 물밑으로 열심히 발길질을 하고 있는 언니의 노력을 알기에, 나는 정말 마음으로 기쁘다.

그렇게 힘들게 일하면서도 만나면 그런 티가 하나도 안나는 것이 경이로울 지경이다. 아직 소녀같은 목소리로 조잘조잘하는 음성을 듣고 있으면 밝은 음악을 듣고 있는 것 같다. 사람들과 함께 만날때면 그 초록빛 음성으로 대화가 지루하지 않게 배려하고, 혹시 누가 밥을 산다면 고마움이 단전에서부터 느껴지는 모습이 정말 아이가 좋아하는 과자를 받은 것 같아 나까지 덩달아 기분 좋다. 정말 다정함과 공감은

지능이 아닌지 생각해 본다. 그러면서 차는 볼보의 엄청 큰 차를 운전하는 모습까지. 이 진정 멋뿜이 아닌가!

chaper3. 우리

- 신뢰와 다정함

살아오며 여러 스쳐가는 인연들과 몇몇의 기억에 남는 연인들이 있다. 지금 돌이켜 생각해 보면 그 많은 인연들 중 결혼을 생각 할 수 있는 사람은 한 사람만이 떠오른다. 추억은 미화되어 남지만 그럼에도 이러한 결론을 내릴 수 있는 단 하나의 이유는 단연코 그 사람은 어디를 내놓아도 마음으로 신뢰할 수 있고 언제나 안정감을 주는 유일한 사람이었기 때문이다.

중학교때 국어선생님인가. 이런 말씀을 해 주신 적이 있다. 신뢰는 예측 가능함이라고. 아무것도 모를 시절에 들은 말이 아직 기억에 남는다. 그리고 이제는 그 말의 뜻이 피부로 마음으로 느껴진다.

먼저 상대의 루틴에 대한 예측 가능함은 기본이다. 언제쯤 일어나서 일을 하고, 밥을 먹고, 언제쯤 일을 마치고 일을 마친 후에는 무엇을 주로 하는지에 대한 서로의 루틴에 대한 공유. 그리고 그 사람이 어떤 자리에 가서 있어도 나를 걱정시킬 일을 만들지 않을 사람이라는 그 사람 자체에 대한 믿음. 그와 얘기를 나누다 보면 꼰대 꿈나무 였던 나에 비해도 조심성이 많은 사람이었다. 처음 보는 사람이 있으면 그 상대를 알기까지 신중한 사람이었다. 나를 처음 만났을 때에도 서로를 파악하기 까지 예의를 지키면서 알아가는 여유를 가진 사람이었다. 매우 솔직한 사람이었지만 그가 맺는 인간관계, 친구들을 대하는 태도, 그리고 나를 대하는 태도에서도 상대를 존중하고 감정이 다치지 않게 조심했다. 10년이 넘은 친구들을 대하는 말투에서도 다정함과 조심성이 묻어나왔다.

갈등을 대하는 태도에서도 미성숙한 내가 배울 점이 많았다. "내가 그런 의도를 갖지 않았더라도 상대가 기분이 나빴다면 미안한 일인거야." 그가 한 말중에 아직도 나에게 크게 영향을 미치는 말이다. 내가 미안하다고 여기지 않는 일에는 그냥 상대와 맞지 않는 것으로 치부하며 나를 굽히지 않던 내가 조금은 나를 바꿀 수 있던 계기가 되었다.

그리고 사소한 다툼에는 설사 내 잘못이 있더라도 먼저 다가와 줄 줄 알았다. 그리고 "내 여자한테는 이기려고 하는게 아니야. 져주는게 이기는 거야."라고 할 수 있는 사람이었다. 사실 여자들도 정신이 제대로 된 여자라면 이런 남자의 태도에 감사함과 그를 넘어서 그 인성에 대한 존경심을 느낀다 보통.

만나고 얼마간의 시간이 지나고 크리스마스가 찾아왔다. 그 때에 함께 있지 못하는 상황이어서 그는 못내 미안함을 전했고 나도 섭섭한 감정이 있었다. 그는 나와 정말 가까운 언니의 소개로 만난 사람이었다. 그래서 그 날 그 언니와 그 시절 친하게 지내던 다른 속 깊은 언니와 함께 그와 처음 만났던 이자카야에서 크리스마스를 보내기로 했다. 함께 그에게 보낼 편지를 쓰고 이런 얘기 저런 얘기를 나누며 나름 소소하게 행복한 시간을 보냈다. 언니는 그가 나와 같이 있어주지 못하는 것에 매우 미안해 했다고 전했다. 그리고 나와 같이 있어주고 맛있는 거 먹으라며 대학원생 신분으로는 적지 않은 돈을 주었다고 했다. 아참, 그 전에는 집으로 택배가 도착했다. 커피머신이었다. 깜짝 선물이라며 함께 있어주지 못해서 미안하고 사랑한다는 쪽지와 함께.

친구들과 일본여행을 간다고 그에게 날짜를 말했다, 그 즈음에는 박사 논문이 나왔다. 처음 나온 박사 논문 두 부를 한 부는 부모님에게, 한 부는 나에게 맨 앞장에는 손수 쓴 편지와 함께 주었는데, 그 안에는 그가 이전 일본 여행에서 쓰고 남아있던 돈이라며 엔화가 함께 들어있었다. 아주 큰 액수는 아니지만 그 사람의 마음이 전해져왔다. 그는 출근 전 새벽 일찍 우리를 인천공항에 데려다 주었다.

물론 추억이 미화되어 있겠지만 아마 이런 사람을 다시는 만나기 쉽지는 않을 수 있을 것 같다. 이런 다정함의 지능을 가진 사람, 우리의 관계를 쉽게 포기 하지 않고 풀어가려는 노력을 먼저 해주는 마음이 넓은 사람. 아마 나 자신은 아직도 저런 신뢰를 주고 다정함을 가진 사람이 되지 못한 것이 분명하다. 그렇지만 저런 사람을 다시 만나게 된다면 아마 진가를 알아보고 놓치지 않고, 나 또한 그런 사람이 되어 주도록 노력하겠지.

문체가 꽤 담담한 걸 보니 나는 아직 담담하지 못한가보다.
내 기억하는 자아에 남겨질 수 있게, 이런 글을 쓸 수 있는 사람이 내 인생에 있었다는 것에 새삼 감사하다.

- 외적인 이상형을 만나는 일

옛말에 이런 것이 있다. 남자는 능력과 재산, 여자는 나이와 외모라는 것, 말 그대로 정말 옛말이 되어가고 있다. 태생적 I에 겨울이 겹쳐지며 대문자 I가 된, 아마도 결혼 적령기인 나에게 유튜브 알고리즘에 추천해준 동영상에서 결혼, 연애시장 전문가들이 이제는 여자도 남자 못지 않게 외모를 보는 시기가 왔다고 했다.

중학교 2학년, 소위 중2병에 걸린 사춘기 시절에 잊혀지지 않는 한 장면이 있다. 지금은 어떨지 모르지만 그 시절에는 토요일에 하루가 특별활동의 날이라 자기가 선택한 활동을 할 수 있었는데, 나는 요가를 선택해서 강변으로 선생님과 부원들과 요가를 하러 갔다. 5월즈음

나무에는 초록이 되기 전 여린 연두색 잎이 달려있고 딱 가디건 정도 입으면 되는 그런 선선하고 기분 좋은 날씨였다. 유연성이 좋았어서 요가가 그렇게 힘들지 않았고 땀도 원채 없는 터라 요가를 하고 한층 가벼워진 상태였다. 하루 세끼에 간식으로 콘프로스트를 4그릇씩 먹던 그 때의 여중생들은 배를 채울 것이 없나 근처의 테크노마트로 향했다.

롯데리아에서 새우버거 세트를 먹고 나오는 길에 그 분을 마주쳤다. 큰 키에 적당히 호리호리한 체형, 약간의 긴 머리에 아무것도 바르지 않은 약간 진한 갈색머리, 선이 간결한 얼굴에 갈색 가디건을 입은 20대 초중반 정도의 훈훈한 남자가 5미터 정도 앞에서 지나갔다, 약간 새침하지만 세심해서 하나하나 잘 챙겨 줄것 같은, 다정하고 따뜻한 느낌의 가디건 같은 사람. 한마디도 해 보지 않았지만 그 어린 시절에 나는 첫눈에 반했고 저런 사람이 이상형이라고 생각했다.

어찌저찌 로망없는 학창시절이 흘러서 나는 세상이 시키는 대로 괜찮은 대학에 괜찮은 과에 갔다. 왜 그런지 모르겠지만 그때부터 30즈음 까지는 나는 외모를 보지 않는다고 생각하고 살았다. 그런데 어느 날 유튜브에서 나의 그 중2 시절 마주쳤던 그 가디건 같은 그런 비스무리한 남자가 나오는 것이 아닌가. 그 때 이후로 나의 외적 이상형 같은 것이 다시 살아났다.

그 무렵 남자친구와 이별했던 나는 친구에게 소개팅을 받았다. 이제 뭐 새로울 것도 없어서 별 기대 없이 청바지를 입고 쫄레쫄레 나가 한남동 레스토랑에 들어갔는데, 가디건을 입은 가디건 같은 남자가 앉아있었다. 별 신경 안 쓴 것 같은 자연스런 머리에 한가닥이 삑사리 난 것이 포인트였다. 살면서 외적인 이상형을 소개팅에서 만날 확률이 얼마나 되는가! 갑자기 설레는 마음을 가라앉히고 고기가 입으로 들어가는지 코로 들어가는지 모를 자리에서 무슨 얘기를 한 지는 기억도 나지 않는다. 그리고 근처 카페로 커피를 마시러 갔고, 거기서도 한시간 정도 얘기를 했는데 물론 무슨 얘기를 했는지는 기억이 나지 않는다. 그쪽도 내가 나쁘지 않은 눈치였고 집에 운전해서 데려다주었다. 다음날인가 주선자가 어땠는지를 물어왔다. 내 인생에 그렇게 진심으로 대답한 것은 처음일 것이다. 맘에 든다고 솔직하게. 직설적으로. 그리고 만나기 전에는 그 사람에 대한 이런저런 얘기를 묻지도 듣지도 않았는데 그때는 그 친구가 이것저것 말해주었다, 그 형이 자기와 6년을 만났는데 누구랑 만나는 것을 한번도 보지 못했다는 것이다. 허우대 멀쩡하고 잘생기고 재밌는데(얼굴이_내기준)! 그 때 나는 세상에 둘도 없을 유니콘을 만났고 이 사람을 내 것으로 만들어야겠다는 생각을 난생 처음으로 해본다.

그 분이 살던 지역이 한남동이었는데 첫번째 만날때도, 그 다음에 만날때도 그 다다음에 만날때도 항상 한남동이었다. 그 전까지 나밖에 모르는 공주로 살았던지 운이 좋았던지 항상 남자들이 내가 있는

곳으로 데리러 오거나 이쪽에서 만나던 생활에 익숙해져 있던 나로서
는 조금 물음표가 뜨는 상황이었지만 무엇이 중요한가. 라고 생각하
고 그냥 그 사람이 정하는 곳에서 만났다.

세번 정도 만난 후에 친한형네 커플이 있어 같이 보자며 용산에 있
는 고기집에서 보기로 했다. 그 자리에는 운동으로 다져진 아주 몸이
훌륭하고 검은 피부에 몸이 매끄럽다 못해 뱀처럼 느껴지는 근육맨과
그의 여자친구가 있었는데 둘 다 머슬매니아 출신의 커플이라고 했
다. 그 형도 자기가 안 꽤 오랜 세월 동안 여자를 데려와서 같이 본 것
이 처음이라고 했다. 이 쯤 되니 약간의 이상한 기분이 들기는 했지만
이런들 어떠하리 저런들 어떠하리, 고기와 술이 한 두잔 들어가고 자
리를 옮겨 맥주도 한 잔 들어가니 옆에 있는 그 사람이 정말 가디건처
럼 따뜻해 보였다. 그 맥주집에서 나는 그에게 사귀자고 했다. 그는 수
줍게 그러자고 했다. 내 생에 처음이자 아마도 마지막일 선 고백일 것
이다.

관계가 정립되고 나니 이제 그의 모습이 조금씩은 더 보이기 시작
한 것 같다. 다른 여자를 두고 만날 성향은 아니지만 안정감을 주지 않
는 연락, 매 번은 아니지만 높은 빈도로 그의 바운더리에서 약속을 잡
는 것 등을 그 이후에는 견뎌 나갔다. 그 인내심은 한달 정도가 갔다.
어느덧 날이 조금 더워져 반팔 정도를 입던 시기에 혼자 울화가 터진
나는 친구를 만나고 가는 길에 한남동 그에게 집 앞에 있는 카페로 나

오라고 카톡을 보냈다. 이런 저런 얘기를 하다가 이제 오빠 동생으로 지내는. 것이 좋겠다고 이별을 고했다. 나의 이상형과의 한 달 러브스토리 끝! 이라고 하기엔 심심하니 이후의 일을 덧붙인다.

그 후에 1년 정도가 지났을까 갑자기 그에게 연락이 왔다. 그 당시까지만 해도 그 친구에 대한 악몽이 떨쳐지지 않았는지 답장을 거의 안하다시피 했고, 보자는 것도 이런 저런 핑계를 대가며 나가지 않았다. 그러던 어느날 주선자 친구를 아주 오랜만에 만나서 그의 얘기가 나왔는데, 불현듯 내 천년의 외적 이상형을 세상 살아가며 두 번 다시 만날 수 있을까라는 생각이 들었다. 그래서 한 번 얼굴이라도 기억하고 싶어져 얼마 후 그의 생일을 빌미로 연락을 해서 우리는 2년여 만에 다시 만났다.

이번에도 어김없이 한남동이구나. 약간의 설레는 마음으로 샤브샤브 집에 들어섰다. 그에 대한 기억처럼 가게 안은 희뿌연 기운이 감돌았다. 눈 앞에 앉아있던 그는 기억 속의 그와 비슷했지만 약간 슬림해진 모습이었다. 요즘 샐러드를 먹으며 운동을 한다고 했다. 약간 흐트러진 머리와 간결한 얼굴의 선은 내가 머릿속으로 만들어낸 판타지보다는 사실적인 모습이었지만 여전히 내가 왜 그 사람의 외모를 좋아했었는지 알 수 있었다. 옅은 회색의 매끄러운 촉감의 니트를 입고 있는 그 모습에서 조선시대 도련님이 떠올랐다. 그간 살아온 이런 저런 얘기를 하면서 분명해 지는 감각은 우리는 아주 다른 차원의 이질적인 모습이라는 것이었다. 평생 음역대가 도레미를 넘어가지 않고 부모님의 그늘 아래 살며 정해진 정혼자와 결혼해 자기 희생이라는 것은 아무것도 모른 채 "엣헴", "이리오너라."만 할 것 같은 도련님. 그리고 제멋대로 말괄량이 내 인생도 내 사랑도 마음가는 대로 해야하는, 빨간 장미꽃을 들고 성문 밖에서 로맨틱하게 기다려줄 왕자님을 기다리는 치마에 뽕을 잔뜩 넣은 아가씨. 우리는 이기적인 공통점에 말고는 시대도 장소도, 성향도 드라마틱하게 이질적으로 맞지 않는 최악의 조합이었던 것이다.

얘기 중에 머슬매니아 커플의 소식을 듣게 되었다, 유유상종이라고 그 남자분도 도련님 재질의 쉽지 않은 분이었는데 상대 여자분이 그 남자를 엄청나게 좋아하고 희생하고 맞춘다는 것은 한 번 봐도 느낄 수 있을 정도였다. 그 둘이 집안의 반대 때문에 결혼은 쉽지 않은데, 그 형이 다른 사람을 만나다가도 항상 그 여자를 다시 만난다는 것이다. 무릎을 탁 치고 가는 순간이었다. 도련님은 조곤조곤 자신의 말을 잘 듣고 다 맞춰주고 희생할 규수를 찾는구나. 기왓집 속 도련님과 성 안의 아가씨는 본디 만날 수 없는 조합이라는 것이다.

누군가의 행동이 매우 거슬린다면 자기 자신의 모습, 혹은 자신이 억누르고 있는 스스로의 모습이 보여서는 아닌지 돌아볼 필요가 있다. 본질적으로는 다르지만 누군가는 나에게서 그의 자기중심적인 모습을 봤을 수 있겠다. 하지만 사람은 성장하는 존재고 자신을 자각하는 것이 시작의 반이 아닌가? 아니면 역할은 다르지만 서로를 융숭하게 대접하는 선순환 구조가 사실은 최선의 관계가 아닌가? 뜻밖의 거울치료를 하고 돌아오는 택시 안에서 약간의 착잡함과 후련함을 털어내고 정신차리라는 듯 가만히 있는 차를 누군가 시원하게 박았고 나는 머리를 시원하게 박으며 첫 외적 이상형과의 재회가 끝이 났다. 아무리 외모가 중요한 시대라지만 정말 뭣이 중한가.

레퀴엠 우체국

이현경

이현경 마음의 힘을 기르기 위해 글을 씁니다.

평소에 세밀하게 관찰하는 일을 즐겨하고,

혼자 있는 시간을 좋아합니다.

우리가 잊지 말아야 할 일들을 오래 기억하는 데에

도움이 되는 글을 쓰고 싶었습니다.

외면하기보다 마주하고, 마주하기 어려운 일을

쉽게 다가갈 수 있도록 하는 작업을 지속하려 합니다.

마음의 힘을 줄 수 있는 글을 쓰기 위해 노력합니다.

레퀴엠 우체국: 인재(人災)와 인재(人材)

바른 하늘 안식집행부 소속 레퀴엠 우체국은 죽은 이들의 영혼이 떠날 수 있도록, 남겨진 사람들에게 망자의 편지를 전달해주는 역할을 충실히 수행하고 있다. 엄격한 규칙을 적용하고 있다.

특이 사항은 다음과 같다.

1. 영혼 편지는 단 1명에게만 전달할 수 있다.

2. 영혼 간의 교류를 위한 서신은 전달하지 않는다.

영혼 간의 교류를 위한 서신은 이터널 우체국 담당이다.

3. 절차로는 심의, 감정, 브리핑이 있다.

구체적으로 설명하자면 편지발송 여부에 대한 심의, 영혼의 간절함과 편지발송 목적의 순수성을 파악하기 위해 염원구슬과 마음테의 감정을 실시하며, 우체부 배정 전에 간략히 해당영혼에 대한 브리핑을 함께 한다.

*염원구슬: 영혼의 생애 마지막 순간 떠오른 감정과 생각 등의 일체가 담긴 구슬

*마음 테: 영혼의 마음이 일생에 어떠한 과정을 거치며 자라왔는지 확인하는 테

4. 브리핑 이후 배정된 우체부는 편지 작성안내부터 전달까지의 역할을 수행한다. 단, 편지의 대필은 엄격하게 금지되어 있다.

우체부 성실한, 입사한 햇병아리 시절 신입교육 설명에서 들은 주요 골자는 대략 이러했다. 매우 드물게 답장도 배달하는 경우도 있다는데, 흔하지 않은 일이라며 상세설명을 듣지 못했다. 잠들지 않는 궁금증 탓에 선배들에게 물어봤지만 '그런 일이 일어나지 않는 편이 우체부 입장에선 좋은 거야.' 라는 말만 들었다. '흥, 내 언젠가 반드시 답장을 배달해보리!' 그 때만 해도 나의 거대한 포부가 어떤 파장을 불러일으킬지 감히 상상도 하지 못했다. 의도치 않은 핵인싸가 되는 것도.

'눈새' 라는 말은 누구나 한번쯤은 들어본 적이 있지 않은가. 입밖으로 내지 않기 때문에 금기 시 된 단어는 아무도 알려주지 않은 탓에, 본인이 단어를 직접 말하기 전까지는.

'설마 그게 나겠어?'하고 생각하겠지. 나도 그랬으니까. 때는 바야흐로 2003년 2월 18일, 바른 하늘 안식집행부 소속 레퀴엠 우체국 입사 3개월 차로 갓 수습을 마친, 성실한 우체부인 나의 의욕과잉 대화로 거슬러간다.

"어? 오늘은 좀 한가하네요."

"막내야, 부정 타게 그런 말 하는 거 아니다. 꼭 저런 날 뭐하나 터지던데! 조용히 좀 해라."

단테의 지옥: 화염, 불빛

아뿔싸, 선배의 말이 끝나기가 무섭게 레퀴엠 우체국의 사건 게시판은 온통 붉은 경보 등으로 선명하게 물들었다. 다행인지 불행인지 바쁜 틈에 폭주하는 영혼의 편지 신청서로 가득한 우체통을 비우느라 한바탕 잔소리를 들을 겨를 없이 브리핑 준비로 정신이 없다. 나중에 들어보니, 개원이래 영혼 편지 발송 신청 수가 최대기록을 최단시간에 새로이 갱신했다 한다.

소문에 따르면, 지하철 화재 참사 사건으로 편지발송에 대한 찬반 토론이 있었다고 한다. 당시 신입인 나는 아쉽게도 이 토론에 참석하지 못했다. 편지발송은 대개 자연재해 사건의 경우, 순식간에 벌어지는 일이고 예측하기 어렵기 때문에 만장일치로 찬성이다. 그러나 본 사건은 미리 화재 경고 연락과 신고를 의뢰하는 내용이 있었기 때문에 예방하지 못한 실책은 하늘이 아니라 사람에게 있다는 이유로 반대하는 심의원이 있었다고. 그렇지만 사람의 잘못을 따지는 일은 안식집행부 소관의 일이 아니기에 영혼의 편지를 발송하기로 최종 심의가 결정되어, 브리핑을 진행한다는데 첫 참관이라 그런지 입이 바짝 마르도록 긴장되었다.

공 수 할아범이 브리핑 대상으로 선정되어, 그의 마음테를 분석하는 세션에 참관할 예정이다. 선배는 사건사고가 나의 입방정이 시발점이 되었다며 못내 못마땅한 눈초리를 흘기며 만반의 준비를 하라고 으름장을 놓고 갔다. 염원구슬은 손도 못 대게 하면서 억울하지만, 그래도 사건관찰기록 요약서는 전달받으니 어디 한 번 살펴볼까?

[사건관찰기록 요약서_신입공유용]

브리핑 대상자	공 수 할아범
사건 경위	〈사건요약〉 날짜: 2003년 2월 18일 장소: 대구 1호선 지하철 중앙로 역 사유: 방화 〈브리핑 대상자〉 이동사유: 소원하게 지낸 큰 아들네와의 가족모임 참석 탑승열차: 1080호 대피시도: 자다가 깨어 이동하려 했으나 유해 연기로 시야확보가 어려움 혼란스러운 상황 중 안경과 보청기를 잃어버림 사망사유: 화재사 특이사항: 이가 튼튼할 소싯적에 즐겨 먹던 고기를 우적우적 씹다가 이가 빠지는 꿈을 꾸어 불길함을 감지

염원 구슬 일부	'글마가 귀찮다고 차를 안 가져왔으면 안되는데…. '
비고	마음 테 분석은 브리핑 시 공유 예정

　기록에 의하면 공 수 할아범은 큰 아들네가 오랜만에 찾아온다는 소식에 들떠 약속장소로 이동 중에 사고를 당하셨네. 명절에도 못 온 가족을 만난다고 한껏 기대하셨는데, 아이쿠 결국 못 만나셨군요. 그런데 할아버님, 이가 깨지는 꿈이 흉몽이고 이가 빠지는 꿈은 길몽이라 하던 데요. 그나저나 서류가 너무 짧게 느껴지는 건 기분 탓인지 모르겠네요. '도둑이 제 발 저린다.'고 미운 털이 박혀서 그럴 수도 있다는 합리적 의심이 들긴 합니다만.

첫 임무: 영혼의 무게, 바로 전달하지 못한 편지

중대한 사건인 만큼, 많은 인원이 참석했다.

"가장 강력한 염원을 지닌 영혼 중에 단단하고 고요한 파장을 특징으로 하는 해당영혼을 첫 대상자후보로 브리핑 시작합니다. 대상자 명 공 수, 성별 남성, 출생년도 1943년, 유년 시절 전쟁을 겪으며 고생한 탓에 경제적 안정성과 일가족에 대한 안전에 각별한 관심을 가지고 있었습니다. 돈이 되는 일이라면 닥치는 대로 일용직을 전전했던 시기를 지나, 뒤늦게 학업을 시작하여 이윽고 기업에서 자리잡은 케이스입니다. 장점은 생활력과 책임감이 강하다는 점이며, 단점은 목표지향적 성격으로 인해 주변사람들을 정서적으로 보살피지 못한 점입니다. 사망 당시 가족에 대한 염원을 품고 있었으며, 마음테에는 가난과 홀로 남겨지는 것에 대한 두려움을 오랫동안 품고 있던 흔적이 보입니다."

브리핑 진행 중에는 한가함으로 푸념하던 과거의 나에 대한 원망한 스푼과 새로운 임무에 대한 기대감 한 스푼으로 엄습하는 막중한 책임감을 느꼈다. 공 수 할아범은 죽음의 문턱에서 절망했을까, 홀홀 털고 가는 걸 기뻐했을까? 나는 알 수 없는 일이다. 이런 상념에 꼬리를 물고 고민하고 있다가 담당자 배정 발표에 깜짝 놀라 자리에서 벌떡 일어났다.

"공 수 할아범 담당 우체부는 성실한 우체부입니다."

"네넵! 신입 우체부 성실한. 열심히 하겠습니다!"

열심히 말고 잘하라는 핀잔은 덤으로, 이제 공 수 할아범의 영혼을 만나러 가야 한다. 드디어 레퀴엠 우체국의 노란 제복을 입는 순간이 왔다. 영혼 안내서와 교육자료를 꼼꼼히 읽어본 후 신발끈을 질끈 묶고 서둘러 출발했다. 영혼을 안내하기 전에 우체부가 길을 잃을 수는 없지 않은가. 영혼 안내서는 친절히 까만 길 10리, 제1 가로등에서 대기하라고 알려주었다. 도착해보니 정말 까만 길이고 심지어 컴컴했다. 여기 있으면 정말 공 수 할아범 영혼이 찾아올 수 있을까? 발 동동하다가 가로등 아래 노란 발자국모양 실선 위에 서자 샛노란, 레퀴엠 우체국이 대문짝 만하게 적힌 우체통이 나타났다. 우체통 덕에 조금 더 밝아진 느낌이다. 인기척도 없는데 목소리가 들렸다.

"누꼬?"

"어르신 안녕하십니까? 저는 레퀴엠 우체국의 성실한 우체부입니다."

잽싸게 공 수 할아범 영혼의 곁에 다가가 설명할 태세를 갖추었다.

"아이쿠 깜짝이야. 뭔 우체국이라고?"

"레퀴엠 우체국이요."

"거기가 뭐하는 데고?"

"어르신 하고 싶은 말을 편지로 전달해드리는 곳이에요. 지금 막 넘어오셔서 제가 차근차근 설명 드릴 게요. 레퀴엠 우체국은 사고로 억울하게 돌아가신 분들의 영혼이 잘 떠날 수 있도록, 남겨진 분에게 전언을 배달하는 역할을 합니다."

"내 편지도 우표도 없는데, 살 돈도 없다."

"에이~ 아까 가족들 떠올리면서 하실 말씀이 엄청 많으시던 데요, 그 중 1명에게만 보내실 수 있습니다. 편지는 영혼에서 우러나오는 진심으로 쓰고 우표는 그리움이나 한에서 차감됩니다."

교육자료에서 외운 말을 속사포처럼 쏟아내고 나니, 어려운 숙제 하나를 마친 기분이 들었다. 뭐 빼먹은 건 없겠지? 공 수 어르신의 영혼은 다소 못마땅한 표정이지만 삐죽삐죽 나온 입과 우체통과 가로등을 번갈아 바라보는 시선을 보아하니, 꼭 하고 싶은 말을 누구에게 할지 고민 중이신 듯하다. 신기하게도 펜과 종이가 없이도 영혼이 전하고 싶은 편지가 까만 길을 편지지 삼아 금빛 글씨로 보였다.

[영혼의 편지 작성 전, 상념뭉치]

- 명절 때도 얼굴 안 보여준 괘씸한 이 놈아, 내는 가난을 물려주지 않았으니 고마운 줄 알아라.
- 해석: 못 만난 건 아쉽지만 여유 있게 잘 살고 있으니 다행이구나.
- 내 죽마고우에게 받을 돈이 있는데 이걸 어쩐다?
- 해석: … (이건 우체부의 영역이 아닌 것 같습니다.)
- 근데 저 노랑 옷 입는 놈은 믿어도 될 놈인가?
- 해석: … (그 노랑 옷 입은 놈에게 이게 다 보이는 걸 아셨으면 합니다.)

아직은 편지 형태가 아닌 고민과 걱정의 나열이라, 도움을 드려야겠다.

"어르신 역시 하실 말씀이 많으시군요."

"허 참, 그걸 니가 우째 아노?"

"영혼에서 우러나오는 진심은 금빛으로 반짝이며 보이거든요. 지금 생각하신 형태로 보내실 건 아니시죠? 저희가 대필은 안 해드려서."

"이놈이 남의 편지 읽는 것도 모자라서, 내가 편지도 못쓰는 줄 아나?"

"저희 일 인걸 어쩌겠습니까? 가끔 욕만 백장 쓰시는 분도 있는 걸요. 그런 건 못 보냅니다. 물론 어르신은 그러실 것 같진 않지만요."

공 수 할아범은 진지하게 외길 위에 큰 아들에게 보낼 편지를 썼다 지우기를 반복했다. 브리핑 때 들은 영혼이 맞나 싶을 정도로 애틋함이 한 가득 느껴지는 필체였다. 그래, 나를 처음에 미친 놈 취급한 거 빼고 말이지. 기다림이 무료할 줄 알았는데 편지 내용을 읽다 보니 시간이라는 개념 자체가 사라진 기분이었다.

전이야, 보아라.

가난의 끈을 끊어내려 악착같이 일만 하다 보니, 정작 너와 보낸 시간과 추억이 별로 없어 아쉬움이 크다. 너의 입학식과 졸업식, 체육대회는 물론이거니와 생일 기념 사진도 못 찍은 게 왜 이제 와서 이토록 서운한지. 가족은 잊고 사는 존재가 아니라는 고2 때 니 반항이 마지막 순간이 되니, 마음을 더 들쑤시는구나. 나는 가족을 한시도 잊은 적이 없다. 너도 한 집의 가장이 되어보니 그 누구보다 애비의 마음을 잘

알지 않겠느냐?

 그러고보니 내 여태 너에게 잘했다는 칭찬에 인색했구나. 어차피 안 맞게 될 옷이라며 교복은 물려받은 것만 입혀도 군소리 없이 넘어가고, 대학에서 장학금도 타오고, 남을 부리는 사람이 되겠다고 회사를 차리고. 하나씩 나열하자면 끝이 없겠지만 전쟁통에 살아남아 건설사에 자리 잡은 나와 다른 인생을 살고 있는 것만으로 감사했다. 너의 독립심에 한편으로 안도했고, 한편으로 안쓰러웠다면 믿을런지. 손주들에게도 그런 독립심을 강조하는 모습을 보고 나서야 너의 기질이 생존에 적합하여 참으로 다행이라 여겼다.

 집에 손 벌리지 않고 지금까지 니 힘으로 벤처 머시기로 자리 잡느라 애썼다. 애비도 딴 에는 최고로 노력한 것이니 너무 원망하지는 마라. 스스로 개척하는 너를 보며 느낀 게 있다. 다 해주지 않아도 자식은 알아서 부모보다 크게 큰다. 다만 믿어주면 되느니라. 그러니 아들아, 너는 애비처럼 일에만 몰두하여 행복한 추억을 만드는 일에 소홀하지 마라. 아이의 생일을 함께하고, 방학 때 가족여행도 다녀 두거라. 니가 늙고 기운이 쇠할 때 너를 미소 짓게 할 추억을 많이 만들어 두거라. 그리고 함께 있는 사람들과 같이 웃을 수 있는 추억이라면 더 큰 행복을 줄 것이다. 늙은 육신이 망가져 고통이 다가올 때, 고통을 버틸 힘은 추억에서 온다.

 인생은 산꼭대기만 있는 것도 아니요, 깊은 계곡만 있는 것도 아니다. IMF를 온몸으로 겪은 너도 잘 알 터이나, 내 노파심에 또 말한다. 니가 지금 잘 나간다고 남을 우습게 보아서는 안될 것이며, 힘든 고비가 왔다고 해서 쉬이 포기해서도 안 된다. 항상 겸손하고 친절해라. 단 너를 우습게 보는 사람에게 까지는 너무 친절하지 않아도 괜찮다.

음, 이건 늬 엄마에겐 비밀인데 내 서재에 초록색 큰 앨범에 비자금을 숨겨두었다. 누가 찾기 전에 니가 찾아서 가져라. 그리고 내 친구 허송월에게 빌려준 삼백만 원도 찾거라. 힘들다고 해서 도와줬더니 투자금으로 썼다고 하더구먼. 잊고 있어 물어보지 않았다 만 송월이 그 녀석이라면 너에게 갚을 것이다. 너는 친한 사이라고 하여 문서로 남기는 일에 소홀하지 마라. 잠깐 서운하게 지나갈 일로 소송하며 싸우다 돈도 사람도 다 잃는 경우를 봤다. 혹 송월이가 갚지 않는다면 나는 따로 증서를 남기지 못했으니 너는 교훈을 얻었다고 생각해라.

어련히 다 알아서 하겠냐마는, 이제 네가 그렇게 나로부터 듣기 싫어하던 돈 이야기를 좀 더 해야겠구나. 먼저 돈을 대하는 태도가 중요하다. 너는 네 애비가 돈,돈 하는 천박한 노인이라 생각할지도 모르겠지만, 돈은 눈도 귀도 마음도 있단다. 돈을 귀하게 대하고 긍정적으로 여기거라. 잇속을 위해 돈이라면 무엇이든 해도 된다는 것과는 매우 다른 이야기이다. 복을 짓고 바르게 살아야 한다. 별거 아닌 일들이 모여 너의 양심을 누르기 전에 착하고 바르게 살아라.

돈 거래는 제대로 해야 한다. 빌리고 빌려주는 것은 가급적 삼가되, 돈도 사람도 잃을 수 있는 위험을 감내할 가치가 있는 좋은 거래를 해라. 알고 있는 사람, 친한 사람일수록 계산은 1원까지 철저히 해라. 돈은 장난질 치는 사람에게 오래 붙어있지 않고, 돈이 먼저 배신한다.

전아, 내가 살아 너에게 따스하지 못했던 걸 용서해다오. 열심히 살

지 않으면 가난으로 돌아갈까 두려웠단다. 너는 가난에서 자유롭게
살아가다오. 그리고 오래오래 건강하게 행복하게 살아가길 바란다.

미안함을 담아, 애비가

끔뻑끔뻑 빛나는 글씨를 너무 뚫어져라 읽은 탓에 눈이 뻑뻑했다. 이건 눈물이 아니다. 눈이 건조해진 탓이다. 공 수 할아범의 영혼은 편지를 쓰면서 울다가 웃기도 했는데 그 탓에 덩달아 슬퍼졌다. 개념적으로 슬픈 눈물과 기쁜 미소는 익숙하지만, 공 수 할아범의 고마움의 눈물과 슬픈 미소는 생소했다. 얼결에 두 손을 꼭 잡아드리고 우체통 옆에 서 있었다. 안내서가 나와 할아범 영혼에 안식집행실로의 지도를 보여주자, 할아범의 영혼은 그제야 아쉬움으로 무거운 발걸음을 한두 걸음씩 내딛으셨다. 영혼의 발자국에도 무게가 있음을 영혼을 부축하며 체험했다.

우체국으로의 무사 귀환 기쁨도 잠시, 쉬지도 못하고 곧장 브리핑실에 불려 갔다. 편지도 잘 접수했고 영혼도 안내도 마친 터라 영문도 모른 채 누군가 무슨 말이라도 하길 기다리며 손톱을 잘근거렸다. 칭찬은 아니더라도 평균 정도는 수행했다 자신만만했는데 아무리 봐도 싸한 분위기이다.

이유인 즉, 큰 아들 공 전이도 같은 사건으로 사망하여 영혼 편지 신청자이고, 다음 브리핑 대상이기 때문이라고 전달받았다. 평범한 배달 건이 아니기에 공 수 할아범의 편지는 발송 대기 상태가 되었다. 레퀴엠 우체국에 이미 접수된 건이라 이터널 우체국으로 이관하자니 절

차가 복잡하기도 하고, 안식집행실과 우체국 간의 이견도 있었다.

안식집행실에서는 영혼에 거짓을 고하면 안 된다는 주장을, 레퀴엠 우체국에서는 영혼 간의 교류는 불허한다는 원칙을 내세웠기 때문이다.

두 번째 임무: 예상 밖 수취인

이래저래 특수한 경우라서 큰 아들내미 영혼의 브리핑 전에 내가 적임자로 후보에 올랐다. 영혼 간의 편지교류는 허용하지 않더라도 수신인 확정을 위해 동일한 우체부가 전담하는 것이 좋겠다는 의견이 많았기 때문이다. 이터널 우체국 임무 협력을 하게 될지, 발송일자 지연으로 처리하게 될지 아직은 모른다. 아는 건 덕분에 의욕과잉 눈새에서 배달데뷔를 화려하게 하는 신입으로 소문이 났다는 점이다. 담당자로 확정된 건 아니니, 제발 브리핑 후에 담당자가 다른 사람으로 지정되길 빌었다. 이번엔 사건기록을 전달받지 못했으니 다른 사람이 지정될 희망은 남아있다.

"두 번째 브리핑을 시작합니다. 대상자 선정 원칙 예외 건임을 미리 안내해 드립니다. 본 영혼은 강한 염원을 순서로 선정된 경우가 아닙니다. 원칙 적용 예외 사유는 수취인으로 지정된 영혼이기 때문입니다. 대상자 명 공 전, 성별 남성, 출생 연도 1968년, 일찍이 경제관념과 수에 대한 감각이 트였으나 부친에 대한 원망, 온전한 가족에 대한 기대감이 높은 편입니다. 독립심과 통제 욕구가 높아 일찍이 자신의 사업을 시작하여, IMF 고비를 넘기고 승승장구한 벤처 기업 대표입니다. 결혼 후 꾸린 가정에 충실하고 다정한 가장이지만 아버지의 인정에 대한 결핍이 있어, 자녀들과 소통에 다소 문제가 있었던 것으로 보입니다. 마음 테에는 소속감과 유대감에 대한 강한 욕구가 두드러졌으며 사망 당시 진심을 전하지 못한 것에 대한 아쉬움이 짙고 빠르게 퍼졌습니다. 아, 공 수 영혼의 편지를 담당한 성실한 우체부가 본 건도 담당합니다."

원칙 예외 건이라는 소리에 여기저기에서 웅성거림과 탄식이 쏟아져나왔다. 모르기는 몰라도 꽤 골치 아픈 일이라는 증거일 테지. 두 손모아 무엇인가를 간절히 원하는 일이 우체부가 되어서도 올 줄이야. 입사 이래 며칠 동안 호기롭게 호기심 천국임을 소문내고 다닌 입을 꿰매고 싶은 심정이다. 진취성을 어필하려던 시도는 그저 공 수 할아범의 큰아들 영혼 담당자로 낙점되는 계기가 되어주었을 뿐이다. 그렇다, 또 내가 담당이다.

한숨을 쉬거나 투덜대기엔 접수 건이 많아 바쁜 만큼, 바로 출발해야 했다. 이번엔 하얀 길 100리 제2가로수 아래를 찾아가야 했다. 가면서도 궁금증이 일었다. 하얀 길 위에서 황금빛으로 빛나는 진심을 잘 읽을 수 있을까? 까만 길이 아닌 하얀 길 위에서는 가독성이 떨어지는 건 아니려나? 공 전 어르신의 영혼도 온 진심을 담아 편지를 쓴다면 금빛으로 가득하게 될까? 필체는 원망보다는 그리움일까? 아차, 수령인도 모르는데 넘겨짚지 말아야지. 하얀 길 100리는 하얀 모래 사장처럼 눈부시다. 가로등이 아니라 가로수가 필요한 연유를 단박에 이해할 수 있게. 서둘러 그늘 아래로 몸을 피해 눈을 감았다. 쉬지 않고 움직인 탓에 현기증이 일어 나무에 손을 대자 레퀴엠 우체통이 나타났다. 익숙한 노란 우체통이 보이자마자, 나지막이 '제길'을 외치며

제2가로수를 퍽퍽 치는 공 전 어르신의 영혼을 발견했다. 영혼이 감정에 휘말리기 전에 얼른 인사드려야지!

"안녕하십니까! 저는 레퀴엠 우체국의 성실한 우체부입니다."

"여기가 어디입니까?"

"네, 영혼 편지 령 하얀 길 100리 제2 가로수 길입니다.

"…뭐라고요?"

반전이다. 가로수를 향해 분풀이하던 영혼은 온데간데없이 정중하고 차가운 말투의 공허한 영혼이 나타났다. 꿈에서 길을 잃은 줄로 착각했다 하기에, 차근차근 설명해 드렸다.

"알겠습니다. 우선 생각할 시간이 좀 필요하군요."

어쩐지 알 수 없는 미묘한 차가움이 전해지는 눈빛의 소유자인 건지, 지극히 사무적인 말투 때문인지 잘못한 것 없이 주눅이 드는 느낌이 들었다. 어느 정도 시간이 흘렀을까? 딱딱한 침묵을 깨는 질문이 날아왔다.

"혹시 일정 기간이 지난 후에도 편지를 보낼 수도 있습니까?"

"예? 어느 정도의 시간을 말씀하시는 걸까요? 확인해 봐야 말씀드릴 수 있을 것 같은데요."

"이제 6살이 된 아이가 성인이 되었을 때, 편지를 받아보았으면 합니다."

"그럼, 우선 확인하는 동안 미리 작성하시겠습니까?"

자녀와 시간을 보내지 못한 만큼 아쉬움이 더 짙고 많이 남겠지. 미처 예상치 못한 발송 일정에 당황하기보단 차가운 첫 인상을 준 영혼에서, 온정을 통해 죽음과 생이 갈라놓는 이별의 무게를 다시금 깨닫는다. 성인이 되면 부모로부터의 독립을 원하지만, 그 독립이 자발적인가 비자발적인가의 조건에는 차이가 있다. 부모의 부재로 인한 비자발적인 미성년자 시기의 독립은 분명 고된 시간을 견뎌야 하겠지. 무슨 말을 전해야 할지 감히 상상조차 못 하겠다.

사랑하는 아들 공 평아,

스무 살을 넘긴 너의 의젓한 모습을 보지 못하고 니 곁을 떠나게 되어 미안하다. 평이 니가 나와 엄마에게 찾아온 걸 알게 된 날, 우리 가족에게 천사가 찾아왔다고 생애 가장 두근거리는 하루를 보냈지. 또 니가 태어난 날은 좀처럼 울지 않는 나도 엄마랑 같이 엉엉 울었단다. 잠투정하는 시기가 언제 지나나 싶더니 곧 백일잔치도 돌잔치도 했는데. 너는 기억나지 않겠지? 돌잔치 때 실이랑 국수를 같이 집어 목에 두르고 먹은 걸 말이야. 아빠는 내심 판사봉이나 지휘봉을 잡지 않은 걸 아쉬워했었는데, 막상 내가 너무 일찍 떠나게 되니, 돌잡이 때 장수와 건강을 선택해서 안심된다.

너는 무얼 하며 살고 있을까? 대학은 갔는지, 군대를 언제 갈지 결정은 했는지, 첫 술은 누구에게 배웠는지 궁금한 게 많아. 아빠가 엄마랑 연애할 때 주량에서 졌으니, 엄마랑 술대결은 절대 하지 말아라. 니가 아빠를 닮았으면 술 먹다 잠들겠지만 엄마를 닮았다면 둘이 밤새 술을 마실 테지. 상상만으로 너무 걱정이 되는구나. 아니 사실 그 자리에 있을 수 없음이 가장 아쉬워.

아빠의 이십 대 초반은 연애와 취업에 대한 고민이 가득했는데, 너는 어떠니? 하고 싶은 일은 뭐야? 좋아하는 사람은 있고? 엄마도 만나는 사람이 있나? 내가 없이도 잘 지냈으면 하면서도, 나를 잊지 않기를 바라는 마음이 들어서. 우리 집 남자들이 워낙 무뚝뚝하고 툴툴거린다는 잔소리를 들었다만, 니 사람에게는 세상에서 가장 다정한 사람이 돼야 해. 연애를 하게 되거든 서로 존중하는 마음을 유지해야 해. 그중 기본은 남에게 함부로 이야기하지 않는 거야. 남자들끼리 술 마시는 자리에서 연애사를 떠들지 말고. 잘난 척하며 떠벌리는 놈들은 허세다. 그런 자리에선 그냥 가만히 있어도 실상 따로 연애 잘하는 놈이 고수야. 아빠가 대학교 미팅 나가면 동기 중에 재미있는 친구가 분위기 띄우고, 애프터는 잘생긴 친구한테 오더라. 너는 따로 만났을 때 재미있고 다정한 사람이길 바란다. 특히 결혼 후에는 모두에게 친절한 남자가 되진 말아라. 아빠가 예의 차린다고 친절했다가 엄마한테 자주 혼났던 적이 있으니 새겨들어. 내가 말하는 게 엄마한테 듣는 잔소리보다 나을 테니. 그래도 배우자 후보는 꼭 엄마에게 인사시키렴. 사람 보는 눈 하나는 정확하다고 아빠가 보증해.

진학도 취업도 결혼도 사회의 숙제처럼 느껴져 끝내려고 무턱대고 하지 말고, 어떤 사람으로 살고 싶은지 결정한 다음에 실천해. 그리고 진정 원하는 일을 이루기 위해서는 더러는 하기 싫은 일을 참고 견뎌야 하는 순간이 더 많다는 것도 명심하고. 무엇보다 꿈을 실천하는 힘은 건강과 지혜에서 오니까 체력과 실력은 든든하게 챙기고!

언제나 너의 인생을 응원한다. 멋지게 자라주어 고맙다.

너를 믿는 아빠가

"저, 근데 안 보고도 어떻게 멋지게 자랐는지 알 수 있으세요?"

"제 아들은 제가 잘 압니다."

괜한 궁금증으로 혼난 기분이지만, 미래 발송 승인을 받아서 괜찮다. 숨을 참고 깊은 곳에 빠진 편지를 건져 수면 위로 올라온 사람처럼 한결 마음의 짐을 덜었기 때문일지도. 13년 후 특별 봉인이 되는 작업이 이루어지는데 이는 영혼이 떠나지 못하고 자주 수정하는 걸 방지하기 위함이라 한다. [발송 예정일 2016년 2월 18일], 현재까지 접수된 영혼 편지 중 가장 나중에 보낼 편지. 새삼스럽게 안식집행부 소속이라는 걸 깨닫는다. 공 전 영혼을 안식집행실까지 안내 중인데, 이번엔 비어 있는 영혼인가 걱정될 정도로 가벼웠다. 모든 진심을 편지에 소진한 영혼에게 있을 수 있는 증상이라 너무 걱정말라는 말이 귀에 들어오지 않았다. 차라리 되돌려달라고 살려내라고 억지 부리며 화를 내는 영혼을 만나는 게 낫지. 말이 많던 나도 입을 꾹 다물고 가게 되는 안식집행실에 이내 도착했다. 아쉬운 소리는 일절 하지 않는 사람 아니, 영혼으로 판단했던 공 전 영혼은 안식집행실 앞에서 누차 나에게 잘 부탁한다는 말을 했다.

조금 이른 성인식 선물: 기다림의 끝, 편지의 출발

공 전 어르신의 편지 접수를 보고 완료했다. 의외로 공 수 할아범의 편지는 수취인이 동일 사고로 사망하여 처리 방안이 하나로 모아지기까지 시간이 걸렸다. 수취인인 공 전 어르신의 담당이 된 것도 모자라, 중간중간 담당자의 의견이 필요하다며, 나는 자주 바른 하늘 심사실로 불려갔다. 서로 다른 주장을 하는 부처 -영혼에게 거짓말을 고하면 아니 된다는 안식집행부 vs. 영혼 간의 교류는 불허한다는 레퀴엠 우체국- 사이에서 다소 난감했다. 그래도 레퀴엠 우체국의 살아있는 역사가 되고자 하는 포부는 어찌 보면 생각보다 빨리 이룬 셈이다. 좋아, 성실한 우체부 역시 긍정적이야! 역시 꿈은 크게 가지고 볼 일이다.

이런저런 논의 끝에 공 수 할아범의 편지는 발송자의 의사에 반하여 편지를 늦게 발송할 수 없다는 사유로 이터널 우체국으로 이관되었다. 이례적인 사례인 만큼 인수인계 보고서를 포함한 복잡한 절차를 거쳤음은 물론이다. 이터널 우체국의 담당자로부터, 무사히 공 전 어르신에게 전달되었다 들었다. 공 수 할아범의 비자금은 따로 못 챙기겠지만, 그래도 마음이 전해져서 다행이다.

시간이 흘러 2016년, 공평 군이 스무 살이 되는 해가 되었다. 성년의 날은 5월이지만, 2월에 미리 받는 선물도 반갑고 기뻤으면….

간략히 브리핑실에서 전달받은 보고서에 따르면, 공평 군은 육군사관학교 진학 예정이며, 규칙적이고 체계적인 생활을 좋아하는 편이다. 할아버지가 건설회사를 다니고, 아버지가 벤처기업을 운영했던 가족 이력을 보면 다소 연관성은 떨어진다. 별개로 입학과 동시에 취업이 결정되는 길이라면 현명한 선택이다. 예닐곱에 아버지와 작별한 아들은 생각보다 빨리 철이 들고 현실적인 결정을 하게 된 모양이다.

지정된 전달 방식은 꿈의 등기 편으로, 다소 조심스러운 방식이다. 이 방식으로 우체부가 직접 전달하는 경우, 수신확인이 필수다. 단 우체부는 꿈 안에서 편지 외 어떠한 흔적을 남겨서도 안 된다. 무의식이 활동하는 꿈속에서 편지를 전달하는 일은 우체부 생활 14년 차가 되어서도 늘 조심스럽다. 살아있는 사람의 염원구슬을 만질 수도 없어 모르는 정보가 많은 상태로 활동해야 하기 때문이다. 첩보원이 잠입하듯, 신중하게 접근해야 한다. 공평 군의 꿈속은 스튜디오였다. 가족 사진을 찍고 있었고 놀랍게도 공 수 할아버지와 공 전 어르신도 함께 있었다. 분명 저 두 영혼은 불청객인데 아는 얼굴이 있어 반갑다고 해야 할지, 되려 미션 수행이 어려워졌다고 해야 할지 갈팡질팡하는 찰나였다.

"성실한이 자네, 어서 오게!"

대번에 나를 발견한 공 수 할아범은 반갑게 부르셨다. 반갑지만 무섭고, 무서워서 마냥 반갑지는 않습니다만. 기억력도 좋으시지. 공 전 어르신과도 눈이 마주쳤다. 어쩐지 마주칠 때마다 내가 작아지는 기분이 든다. 하지만, 이제 연차와 비례하여 뻔뻔함도 늘었다고 해야 할까, 상황 변화의 대처능력이 향상되었다고 해야 할까?

"안녕하셨습니까!! 레퀴엠 우체국 성실한 편지 배달하러 왔습니다."

무작정 편지를 들고 뛰쳐나오지 않고 침착하게 다가갔다. 반갑다고 악수하며 내 손을 낚아채시더니 이내 같이 한 장 찍자고 붙잡으셨다. 수취인의 꿈 속에 발신인이 함께 있는 경우인지라 꿈을 깨고 나오기가 미안하여 어정쩡한 미소를 지었을 뿐이다. 달리 무엇을 할 수 있겠나? 냅다 도망치려고 했지만 어물쩍 웃어넘겼다고 안도한 순간, 공 수 할아범의 억센 손에 손목이 잡혔다. 안간힘을 써보았으나 빼내지 못했다. 이렇게 또 흔적을 남기면 안 된다는 규칙을 어기다니, 수행 임무의 특수성이 피부로 와닿는다. 이렇게 억센 손아귀 힘을 보여주신 것과는 대조적으로, 안식집행부에서 마음 편한 곳으로 인도받으셨는지 공 수 할아범은 더없이 인자한 미소를 지으셨다. 한 편 공 전 어르신은 스무 살이 된 아들을 만나는 일이 떨리시는 듯 애써 침착하게 계시려고 마른 기침을 몇 번 하셨다. 점잖은 표정과는 달리 붉게 달아오른 귀가 얼마나 설레고 기쁜지 말없이 표현하고 있다 느낄 정도였다. 셋 중에서 가장 신이 난 사람은 공평 군으로 구김살 없이 서글서글한 표정에 호기심이 초롱초롱한 눈빛으로 웃었다. 초대손님은 나의 표정은? 글쎄, 촬영된 사진을 보지 않더라도 가장 어색한 사람은 바로 나, 성실한 우체부라는 걸 알 수 있었다.

이러나저러나 꿈에서 다대일의 만남 구조와 사진촬영은 우체부 생활 중에 처음이다. 공평 군에게 슬그머니 편지를 내밀자, 공 전 어르신은 쑥스러우니 나중에 읽어보라고 난리 시다. 저도 제 일을 마쳐야 복귀하는데 사정 좀 봐주시지. 안식집행실 앞에서 츤데레 면모를 보이시더니 여전히 부끄러움을 타신다.

공평 군은 공 수 할아범에게 허송월 영감님이 초등학교 졸업식에 찾아와 삼백만 원을 용돈으로 주고 가셨다는 이야기, 바로 어머니께 뺏겨 조금은 억울했다는 이야기를 시작으로 장례식 후에 할머니가 할아버지 비상금을 발견한 이야기, 초록 앨범이 사실은 아버지의 사진과 기사 등을 스크랩한 애정의 징표였다는 둥, 이런저런 에피소드를 들려주었다. 공평 군은 아빠가 어떤 사람이었는지 그 앨범을 보면서 많이 알게 되었다고도 덧붙이면서. 앨범에는 사진뿐 만 아니라 어버이날 쓴 손편지와 생활기록부, 성적표까지 있었다고 했다.

이번엔 공 수 할아범이 크흠 크흐음 하고 마른 기침을 하셨다. 공 전 어르신은 초록 앨범의 진실을 처음 마주한 듯 귀가 빨개졌다. 가족이라서, 수줍음이 많아서, 표현이 익숙하지 않아서 각기 다른 방식으로 사랑을 준다. 표현 방식은 각양각색이다. 공 수 할아범은 공 전 어르신에게 꾸준한 관심을 가지고 있었고, 공 전 어르신은 공 수 할아범과 함께하는 시간을 갈구했었다. 공 전 어르신은 아이러니하게도 자신의 자녀인 공평과는 함께 하는 시간을 오래 보낼 수 없었다. 공평 군은 어떤 방식의 사랑으로 소통하고 성장해왔을까? 누군가의 부재에 휘청거리다가 굳건하게 변한 사람의 마음 뿌리는 어디에 단단히 내려져 있는 걸까?

원망과 분노가 짙어 영혼 편지 전달이 어려우면 어쩌나 걱정했던 시간들이 완전히 기우일만큼, 공평 군은 밝고 씩씩한 모습으로 자라있었다. 공 전 어르신의 믿음이, 부모의 마음이, 전해져서였을지도 모른다. 아니, 원래 공평 군의 마음 밭에는 강인함과 평온함이 뿌리 깊게 내려있었을지도. 과거를 기억하며 추억하되, 과거에 사로잡히거나 잡아먹히지 않고 앞으로 나아가는 일은 어른에게도 어렵다고 하는데, 새삼 공평 군이 더 기특해 보인다.

바른 하늘에서 꿈으로 외출 나온 두 영혼은 공평 군과 술까지 마셔야 한다고 강력하게 주장하는 바람에 따로 수취인인 공평 군에게 오늘 취하기 전에 따로 편지를 확인하라고 신신당부했다.

"걱정하지 마십시오! 저는 어머니를 닮아 술에 강합니다."

풉, 공 전 어르신의 편지 내용이 떠오르면서 괜한 걱정은 접어두기로 했다. 스무 살 전에 이미 어머니께 술을 배운 건지 벌써 술에 강하다는 건 어떻게 알고 있담? 공 전 어르신이 듣지 못해서 참으로 다행이라 여기며 가슴을 쓸어내렸다. 아니 왜 이 두근거림은 저의 몫인가요?

3대 부자만의 도란도란한 시간을 보내시라고 조용히 그러나 냉큼, 서둘러 꿈에서 빠져나왔다. 근무 중 음주라니 말도 안 된다며 겨우 거절에 성공했다.

돌이켜 보니, 편지 전달까지 오랜 시일이 걸린 건이라 감회가 새롭다. 첫 번째 임무는 이터널 우체국으로 이관되어 처리되었기 때문에, 스스로 매듭을 지은 사건은 두 번째 임무인 공 전 어르신의 편지니까.

그동안 전달한 편지들은 슬픔의 순간도 있었지만, 어쩐지 이번 꿈의 등기편은 뿌듯함으로 남는다. 개구쟁이 눈빛을 한 공평 군의 모습이 눈에 선하기도 하고. 여전히 나에게 영혼 편지를 통해 마음과 마음을 이어주는 일은 가슴이 두근거린다.

아웃라이어

최은수

최은수   ~ 흐르는 대로 살자 술술은수 ~
취미를 찾는 것이 취미입니다. 현재는 기술적 글쓰기를 업으로 삼고
있습니다. 문학적 글쓰기가 취미가 아닌 저를 표현할 수 있는 키워드
가 되기 위해 노력하고 있습니다.

블로그: blog.naver.com/xeunxux

아웃라이어(Outlier)

- 평균치에서 크게 벗어나서 다른 대상들과 확연히 구분되는 표본 (출처 : 국립국어원 우리말 샘)

아웃라이어는 수학, 통계학, 인공지능학 분야에서 사용하는 용어로 이상점(異常點)이라고도 표현한다. 어린 왕자의 코끼리를 삼킨 보아 뱀처럼 생긴 정규분포에 가까운 그래프에 난데없이 하늘에서 길을 잃은 나방이 있다고 가정해 보자. 눈엣가시처럼 혼자서 엉뚱하게 제멋대로 날아다니는 나방은 데이터 관점에선 아웃라이어다.

데이터의 품질을 상승시키기 위한 과정으로써, 데이터 전처리 과정의 아웃라이어는 꽤나 골치다. 이게 유의미한 데이터인지, 데이터 수집 과정에서 발생한 단순 오류(Human Error)인지 아무도 모른다. 물론 인공지능 성능의 핵심 키워드인 일반화에는 잡음(Noise)이다. 하지만, 아웃라이어는 장기적인 관점에서는 적용 분야의 도메인 지식

즉, 노하우가 담긴 데이터일 수 있다. 결론은 똥인지 된장인지 아직 몰라서 신경을 계속 써야 하는 골칫덩어리 데이터인 것이다. 그럼 나는 아웃라이어 중에 똥인가 된장인가? 나도 잘 모르겠다. 우선 천방지축 나방이라 생각하고 싶다. 그냥 나방은 싱거우니 재미난 것을 찾아다니는 불나방이 나을 수도 있겠다.

2023년 3월 3일 오전, 병무청에서 온 전문연구요원 소집해제 카카오톡 메시지를 다시 확인하곤 침대에 누웠다. 자취방에서 썼었던 디퓨저와 같이 자고 있는 고양이 냄새가 섞여 메스꺼워 금방 다시 일어났다. 그리고 핸드폰의 날짜를 보곤 끝날 것 같지 않았던 3년이 지나버렸음을 실감했다. 씻지도 않고 집 앞 카페에 가서 커피를 챙겨왔다. 이 기쁨을 블로그에 정리해 놓아야겠다고 생각하곤 시원한 커피와 담배를 물고 시원섭섭함을 즐겼다. 물론, 약간의 후회도 있다. '무소속의 자유를 즐기지도 못하고 빈둥댈 거였으면 회사에 계속 다니면서 사람들과 교류라도 더 할걸' 이라는 생각과 함께 골골대는 고양이와 함께 소파에 누워있었다.

이런저런 생각을 하다 보니 벌써 점심 먹을 시간이 되어버렸다. 밥을 먹으면서, 평소와 같이 스스로를 괴롭히는 자문자답의 시간을 가졌다.

내가 계속 이어가고 싶었던 인공지능에 내 인생을 투사하여 삶을 삶아왔는데, 큰 오만이었다. 학창 시절, 3년간의 인공지능 연구 경험은 당장 현장에 적용하기 역부족이었고, 무엇보다 혼자서 모든 것을 할 수 있다는 자신감은 너무나도 거대한 오만이었다. 이러한 생각을 품은 체 대체복무 기간 혼자서 악바리로 생존해 나갔다.

사실 인공지능 기술 동기와 비전을 잃은 지는 꽤 됐다. 복무하면서 내가 하고 싶은 인공지능은 제대로 못 하고, 다른 연구과제를 전담하게 되었기 때문이다. 그러면서 내가 나 스스로를 위로하게 되었다.

'대체복무니까, 회사니까, 인생은 원래 그러니까, 하고 싶은 것을 못하는 게 맞지' 라고 말이다. 부정적인 생각에 잠식되어 무기력감에 빠진 나는 결국 아무것도 적극적으로 못 했고, 못하게 되었다. 그래서 우선 대체복무가 마무리 되는 대로 퇴사를 하고 쉬는 시간을 가져야 겠다고 생각이 들었다.

대체복무 기간 동안 나는 열심히는 했다고 자부할 수 있겠지만, 잘했는지는 아직도 잘 모르겠다. 결국, 내가 하고 싶었던 인공지능을 하려면 생각보다 더 많은 것이 있었어야 했다. 예를 들면, 전폭적으로 나를 지지해주거나 적어도 인공지능을 하는 팀 이라던지 말이다. '그나마 다행인 것은 대체 복무라는 좋은 기회로 이를 깨달았다는 점이지 않을까?' 라는 위로로 자문자답의 시간을 마무리했다.

'그래서 언제 올 건데 임마' 라는 친구의 연락에 갑자기 유럽에 가고 싶어졌다. 유럽에 큰 로망이 있는 건 아니고, 그냥 한국을 떠나 먼 곳에 홀로 있고 싶어졌기 때문이다. 그렇게 목적 없이 유럽에 도착했다. 첫 행선지인 친구의 기숙사는 독일의 오스나부뤼크에 있었다.

오스나브뤼크는 참 평화로운 도시였다. 길거리에 경적하나 울리지 않았고, 수많은 점포에서는 귀가 아프도록 틀어대는 노래도 없었으며 맛있는 사워크라프트가 담긴 샌드위치는 독일에서의 일상을 풍족하게 했다. 평화로움에 녹아버린 나는 하루 종일 친구의 기숙사에서 빈둥댔다. 옆방 인도 유학생이 물 담배 피는 것이 적응이 되어가던 차, 내가 생각한 방향과 다르다는 것을 인지하게 되었다. 막상 넓디넓은 유럽에 왔는데, 목적은 없으니 독일에서까지 빈둥대는 스스로가 한심했다. 그리곤 잊을만하면 찾아오는 자문자답의 시간을 가지곤 특단의 조치를 내리게 되었다. 스스로를 다룰 줄 아는 나는 위험상황에 처하면 알아서 난리부르스를 치미 눈 앞의 시련을 해쳐나갈 것을 알기에, 무작정 가장 저렴한 런던 행 저가항공기 티켓을 예매하고 잠에 들었다.

런던의 비싼 지하철 요금에 투덜거리며 홀딱 젖은 바람막이를 벗고 대영박물관에 입장했다. 지금 다시 돌아보면, 별 기대를 하지 않았던 대영박물관이 내 인생의 전환점을 선사해주었는데, 특히나 이집트 전시관의 미라가 나에겐 꽤나 큰 자극이었다.

수많은 나라의 관람객들과 그들의 언어가 미라를 둘러싸고 뭔지 모를 꿉꿉한 자극적인 냄새와 함께 생각에 빠졌다. '사람들은 이 미라를 왜 보는 거지?', '이렇게 그로테스크한 걸 전시해도 되는 건가?' 라는 답도 없는 자문자답과 함께, 나 (1995년 대한민국 N 번째 출생 최은수)는 무엇을 위해 태어났는지에 대해 좀 더 구체적으로 생각해보았다.

인간은 근본적으로 생존이 목표인데, 다행히도 과학기술의 발전 덕분에 생존의 걱정을 하지 않아도 되는 세상이 왔지. 그렇다면 다음 단계로, 종족 번식일 텐데 현대사회의 동향을 보면 썩 목표로 삼고 싶지는 않네. 오히려 개인의 생존에 위협이 되는 행위가 되어버리지 않았나? 문득, 유무형의 현상(Input)이 발생하면, 결과(Output)도 도출된다. 라는 생각과 함께

'이 수많은 전시물은 결국 먼지가 되어버린 수 세기 과거의 사람의 산물인데, 나는 무엇을 남기고 죽을까?' 라는 생각이 도출됐다. 당장에 내가 남길 수 있는 것들로, 유튜브 영상, 강의, 건물, 소프트웨어 등 다양한 매개체들이 떠올랐다. 그 중에서도 책이 제일 마음에 들었다. 과거 석사과정 시절에 지도교수님과 집필한 책이 출판되어, 교보문고에 비치되는 것을 보았을 때 세상을 다 가진 행복과 성취감을 느꼈던 것이 영향을 끼치지 않았을까? 라는 생각이 들었다.

어느덧 반년이라는 시간이 흘러 글Ego 글쓰기 클래스를 알게 되었고, 작은 분량의 책을 쓰게 되었다. 문득, 내가 왜 글을 쓰고 싶은지 그리고 왜 글 쓰는 것을 좋아하는지에 대해 생각할 시간이 없었다는 것을 알게 되었다. 그래서 이번 기회에 나의 글쓰기와 관련된 일화들을 정리하는 시간을 가지고 싶었다.

차원 축소

- 잡음 특징을 제거하여 분류를 용이하게 하며 모델링에 필요한 학습 집합의 크기를 줄여 학습과 인식 속도를 증진시키기 위한 기술 (출처 : TTA 정보통신 용어사전)

학생 때의 나는 그저 컴퓨터를 좋아하는 보통의 학생이었다. 어느 날 '통일'을 주제로 글짓기 대회에 참여하게 되었다. 원고지 첫 장 첫 줄에 제목을 쓰다가 지적을 받을 정도로 글쓰기와는 거리가 꽤나 먼 학생이었다. 어떤 내용을 쓸까 생각을 하던 참에 가족과 통일전망대에 갔던 경험을 써야지! 하곤 미소를 지었다.

막상 글을 쓰다 보니 내 마음대로 써지지 않았다. 원고지 수정기호를 쓰기 싫은 나는, 원고지의 첫 장을 얼마나 뜯었는지 모른다. 어느 정도 원고지 작성 방법에 적응하고 처음으로 글쓰기의 개운함을 느꼈다. 글을 쓰다 보니 섞여 있는 내 생각과 감정이 정리되고, 정리된 암묵지를 형식지로 변환함으로써 마음 한편에 평화가 찾아왔다. 그리고 정해진 원고지 작성 규칙에 따라, 내가 쓰고 싶은 것을 자유롭게 써도 되기에 더더욱 글쓰기에 재미를 들였다. 마치 리듬게임을 하는 것 같았다. 그렇게 글짓기에 흠뻑 빠져 어깨와 목이 뻐근한지도 모른 체 작성했다.

그 결과, 처음으로 컴퓨터가 아닌 글쓰기로 상을 받았다. 곰곰이 생각해 보니 인생에서 처음으로 글쓰기를 경험한 순간이 아닌가? 나아가, 처음으로 행위에 대해 몰두한 경험이기도 했다. 학생 시절에는 몰두라는 상태를 몰랐었다. 하지만 글을 쓰면 머릿속의 잡생각과 복잡한 것들이 정리된다는 긍정적인 결과를 얻을 수 있다는 것을 인지하게 되었다. 그리고 이것이 몰두였다는 건 시간이 꽤나 흐른 대학원생 때 알게 되었다.

다행히도 내가 다녔던 학교의 도서관은 독서 프로그램이 많았다. 특히, 밤샘 독서 프로그램이 너무나도 좋았던 기억이 있다. 처음으로 밤샘 독서 프로그램에 참여할 때의 기억이 생생하다. 깜깜한 복도와 눈부시게 빛나는 비상유도등 그리고 창 밖의 형형색색의 불들이 마치 할로윈 파티 하는 것 같았다. 그리고 어떤 책을 볼지 자유롭게 도서관 내부를 돌아다니며 행복한 고민의 시간을 즐기는 것이 참 좋았다.

추천 도서인 한상복 작가의 『배려』를 읽고, 급우들과 의견을 공유하고 토론하는 것이 나에게는 꽤 신선한 경험이었다. 각자 책을 읽고 공유한 내용에 틀린 의견은 없었고, 각자의 경험과 상황에 맞는 다른 의견이었기 때문이다. 처음으로 정답이 없는 문제에 생각을 해보는 경험이었다고 생각이 들었다. 이런 경험이 있어서인지, 정답이 없는 것을 해결하기 위한 대화를 즐기는 편이다. 그리고 그 생각을 글로 쓰는 것이라면 금상첨화다.

군집화

- 공통적인 특성을 가진 레코드들의 집합을 찾아내어 군집을 이루는 기술 (출처 : 국립국어원 우리말 샘)

너무나도 당연한 말이지만, 나는 책이 좋다. 백과사전이든 만화책이든 실용서든 가리지 않는다. 왜냐하면, 나를 몰두하고 생각하게 하기 때문이다. 그리고 나를 설레게 하기 때문이다. 그에 따라, 나의 최애 공간은 중고서점이다. 구체적으로 명시해 보자면, 평일 오전 11시의 중고서점이다. 목적이 없는 사람은 오전 11시에 중고서점에 오지 않는다고 생각한다. 배가 고픈 사람은 밥을 먹거나 준비를 할 것이고, 정해진 업무가 있는 사람들은 중고서점에 방문하지 못한다. 따라서 정말 책이 좋거나 특정한 목적이 있는 경우에 방문하고 사라지기 마련이다. 아울러, 도서관에 비해 자유로운 것은 덤이다.

중고서점의 장점으로는 현대와 과거가 공존하고 다양한 책들이 즐비해있다. 이런 책들을 넣 놓고 보다 보면 책에 대한 추가 정보들이 보인다. 예를 들면, 같은 책이 많이 꽂혀 있고, 많이 해졌다면 학교의 교양 책으로 활용했을 확률이 높다. 그리고 많이 꽂혀 있으며 해져있지 않았다면, 잠깐 동안 트랜디한 책일 확률이 높다. 이런 내 경험과 상상력을 동원한 분석결과를 활용하여 책을 고르는 행위가 나한테는 큰 재미이다. 이런 재미있는 컨텐츠를 선사해주는 공간을 어떻게 좋아하지 않고 배길 수 있는가?

특징 선택

- 패턴이 지니고 있는 다수의 특징 중에서 결정하는데 필요 충분하다고 생각되는 소수의 특징을 골라내는 기술 (출처 : TTA 정보통신 용어사전)

막 이성에 관심이 생기게 된 중학생 때, 나는 여전히 점심시간마다 나만의 시간에 빠져 살았다. 약간 거슬리는 공을 차는 소리와 함성소리를 애써 못 들은 척하고, 도서관의 차분함과 매력적인 표지와 이름을 가진 책들의 추파를 즐기고 있었다. 얼추 점심시간이 다되었단 생각이 들어 괜히 삐딱한 얼굴의 표지가 마음에 들어 가네시로 가즈키 작가의 『GO!』를 집어 들곤 교실로 돌아왔다. 남은 십 분의 점심시간 동안 책을 읽으려고 하던 참이었다. 옷 소매의 당김이 느껴져 황급히 뒤를 돌아보았다. 평소에 한 번도 대화를 나눠 본 적이 없는 급우가 웃는 얼굴로 나를 쳐다보고 있었다. 그리곤 점심시간에 종종 도서관 가는 모습을 보았단 말과 함께 의외라고 했다. 온갖 생각을 하며 얼빠진 표정으로 도서관을 가는 내 모습이 상상되어 그런지, 평소 받아 본 적 없는 이성의 관심을 받아서 그런지, 잘 모르겠지만, 귀가 뜨거웠다. 부끄러운 내 모습을 보여주기 싫어서 우선 멋쩍게 웃었다. 그리곤 도서관과 책이 왜 좋은지에 대해 꽤 말하는 도중 점심시간이 끝나는 종이 울렸다. 십 분의 시간은 바람에 휘날리는 벚꽃의 잎처럼 부드럽고 빠르게 사라졌으며, 나는 나만의 도서관을 찾게 되었다.

재미없는 학교 그리고 더 재미없는 학원의 스케쥴을 마치고 학원 버스에 잠시 대기하고 있었다. 버스는 수지도서관 앞에 주차되어있었다. MP3를 꺼내고 이어폰을 꽂곤 도서관에서 한평생 책이나 읽고 싶다. 라는 생각을 하며 도서관을 마냥 노려보고 있었다. 갑자기 진동이 울렸다. 모르는 번호다. 문자를 나눠보니 점심시간에 대화하던 급우였다. 책에 관한 이런저런 문자가 오갔고, 그림을 좋아하던 급우는 그림을 열심히 그려서 화가가 될 테니 내가 작가가 되면 좋겠다고 했다. 평소에 쓸 장래희망이 없어서 대통령을 쓸까 고민하던 나에겐 신선한 관점이었다. 혈기왕성한 남중생에게는 서로의 미래를 공유하는 급우는 꽤 큰 자극이었다.

밤중에 문방구에 들려 원고지를 사고, 괜히 비싼 펜텔 샤프를 구매하곤 글을 쓰려고 책상에 앉았다. 경험(Input)이 없으니, 글(Output)이 나오겠는가? 허탕만 치곤 책이나 마저 읽을 걸 하곤 침대에 누워 잠을 청했다. 그리곤 다음날도 그리고 그 다음 날도 급우는 계속 나와 대화를 하고 싶어하는 눈치였다. 하지만 재능이 없어서 작가가 될 수 없다고 성급한 판단을 내려 버리곤 한없이 작아진 나는 급우와 대화하기가 너무나도 무서웠다. 나의 불완전함과 재능이 없음을 알게 된 나는 그녀에게 실망을 안겨주기 싫었다. 멋진 모습만 보여주고 싶었다. 그렇게 나는 좋은 모습이 될 때 대화를 하겠단 생각과 함께 서서히 멀어졌다. 학생 시절의 연이 그러하듯 약간의 공백기에도 손 뒤집듯이 자연스럽게 멀어지게 되었고, 성인이 되어갈 때쯤 급우는 미술을 끝까지 택했고 나는 결국 컴퓨터를 택하게 되었다.

데이터 라벨링

- 데이터를 인공 지능 기술에 활용할 수 있도록 양식에 맞게 가공하는 전처리 단계의 하나 (출처 : 국립국어원 우리말 샘)

요즘 시대의 프로그래밍은 돈이 되는 기술이지만, 내가 컴퓨터를 택할 때만 해도 그렇지 않았다. 세간에서 말하는 덕업일치를 이룰 수 있는 직업 중 하나였고, 컴퓨터를 좋아하면 게임이나 서브컬쳐를 좋아하는 경향이 있었다. 나도 그 중에 하나였다. 좋아하는 게임, 만화, 소설 등 다양한 콘텐츠에 대한 리뷰와 2차 창작물을 블로그에 올렸고 내가 열심히 쓴 글을 다양한 사람들이 읽었으면 좋았기 때문에 꽤나 글 하나하나에 공을 들였었다.

게임과 서브컬쳐, 창업, 프로그래밍, 독서, 칵테일 등 다양한 주제의 블로그를 만들고 없애기를 반복했다. 블로그 폐쇄로 인해 과거의 내 생각과 노력의 산물이 사라져버린다는 것이 아깝긴 했다. 그렇게 공을 들여 꾸린 블로그를 삭제하게 된 이유는, 주객전도와 아쉬움을 느꼈기 때문이다.

나에게 블로그 글쓰기란, 내가 좋아하는 소재를 활용하여 재미있게 글을 쓰는 것이다. 하지만 가끔은 주객전도가 되어 나에게 고통과 강박을 주는 경우가 있다. 글 하나를 작성하기 위한 시간을 대략 산정해 보면, 게시물당 2시간 정도 소요된다. 이 2시간 동안 억지로 글을 쓰다 보면 이런 고문이 따로 없을 정도로 고통스럽다. 글쓰기의 주객전도를 경험한 예시로, 관심도 없거니와 오역이 난무한 기술서 서평 경험이다. 기술을 이해하기 위해 억지로 작성된 문장을 해석하고, 관심도 없는 기술의 활용점을 찾아 글을 쓰는 노가다는 과거에 자신만만하게 서평을 신청한 내가 미워질 정도다. 이런 경험이 지칠 정도로 누적되면 나는 여지 없이 블로그를 없앴다.

아울러, 아쉬움이 느껴지면 여지없이 블로그를 폐쇄했다. 단일의 글은 힘을 갖지 못한다. 하지만, 유사한 소재의 다수의 글이 쌓이면 앞으로 쓰게 될 글도 결국 정형화되고 단순화되기 때문이다. 그렇게 정형화된 글을 지속적으로 쓰게 되면 글쓰기에 매너리즘을 느끼게 된다. 고착화된 주제와 형식에 글을 써야 한다는 강박에 빠지게 되면 쓸데없는 시도를 하게 된다. 그 시도는 결국 나를 주객전도에 빠뜨리게 한다.

이러한 점을 개선하기 위해 다양한 시도를 하였고, 이번에도 새로운 블로그를 만들게 되었다. 앞서 나열한 경험을 기반으로 정의된 기준으로, 개선점을 도출하였다. 글 쓰는 행위 자체에 부담을 느끼지 않도록 형식은 있으나, 자유롭게 작성하기이다. 유명한 3D 게임인 마인크래프트와 같이 샌드박스 형태로 작성하는 것이 나에게 제일 알맞은 글쓰기라 생각이 든다.

중학생 시절 소재와 경험이 부족해서 글을 못 쓴 것이 한이 돼서 그런가, 요즘 나는 취미를 찾는 게 취미가 되어버렸다. 당분간은 박물관 다니기가 취미일 예정이다. 앞으로도 다양한 취미를 즐기고 블로그에 재미있고 행복한 글쓰기를 이어나가고 싶다. 이번 블로그는 마지막이길.

앙상블 학습법

- 학습 알고리즘들을 따로 쓰는 경우에 비해 더 좋은 예측 성능을 얻기위해 다수의 학습 알고리즘을 사용하는 방법 (출처 : 위키백과)

대학원생 때, 인공지능 기술이 다시 대두되던 때였다. 랩실에서 연구과제 논문을 쓰고 있는 와중, 교수님께서 갑자기 부르시곤 해외의 IT회사에서 오신 분을 소개시켜주셨다. 약간의 아이스브레이킹 시간을 가지고 인공지능에 대한 대화를 나누었다. 그리곤 자사 머신러닝 소프트웨어가 공개되었으나 홍보가 되지 않아 아쉽다 라는 말을 하셨다. 그 말을 듣곤 기술서를 쓰면 좋을 것 같다는 생각이 들어서, 책을 쓰고 싶다고 전했다.

그 때 대뜸 외쳤던 한 마디의 파급효과가 인생에 영향이 이렇게 클지는 몰랐다.

인생 처음으로 출간을 목표로 책을 쓰게 되었는데, 정말 막막했다. 소프트웨어 사용법 소개에 앞서, 인공지능과 유관한 키워드를 추출하고 용어 정의와 전달할 개념의 수준 등 고려할 것들이 천지였다. 그래서 목차를 작성하기 전에 제일 먼저 정의한 것은 책의 목표 독자였다. 다양한 주체들의 의견을 수용하여 대상 독자는 인공지능을 모르는 교양 수업 학생으로 선정하였다. 그에 따라, 책의 컨셉은 따라 하기만 하면 되는 책으로 결정되었다. 대상 독자와 컨셉을 잡으니 어느 수준으로 글을 써야 할지 나름 명확해져서 불안감이 잦아들었다.

목차를 정의하기 위해서 시중에 출판된 종이 책과 전자 책 그리고 매뉴얼까지 다 수집하여 목차 비교분석을 했다. 교집합 하는 내용은 반드시 목차에 반영하려고 했었고, 각각의 출판물이 갖는 핵심 키워드들은 추출하여 대상 소프트웨어에 알맞게 재가공하여 작성하였다. 그리고 책에 활용되는 그림들은 저작권을 고려하여, 관련 논문의 인용구를 달거나 직접 그렸다. 아울러, 출판 후 강의 할 것을 고려해 최대한 직관적으로 글을 썼다.

책을 작성하면서 몸은 너무 힘든데 기분이 너무 좋았었다. 빠르게 흐르는 시간과 질 좋은 수면은 덤이었다.

'분명, 어렸을 때도 이런 기분이 들었던 적이 있었는데 뭐지?' 라는 의문부호가 찍혔다. 정체불명의 행복은 몰두라는 것을 24살이 되고서 깨달았다. 24살이 되어서야 몰두를 인지하다니, 생각보다 몰두를 안하고 살았었나 보다. 북적거리는 연남동 골목을 돌아다니다 보면, 방긋 웃으며 출판사에 기대에 부푼 걸음걸이로 걸어가는 행복했던 나의 24살 때의 모습이 상상된다. 그 때의 벅찬 기분을 언제 다시 느낄 수 있을까?

새로운 특징을 담아서 다시 학습시키자

거진 십 년을 컴퓨터와 소통하는 방법을 공부해온 나는 아이러니하게도 글쓰기로 사람과 소통하는 것에 행복을 느끼고 있다. 현재는 이런 나의 특성을 살려서 테크니컬 라이터를 업으로 삼고 있다.

조금은 재수 없게 보일 수 있겠지만, 나는 하고 싶은 건 해야 한다. 그리고 거진 이뤄냈다. 그렇기에 2023년은 내 인생의 전반을 보았을 때 꽤나 큰 의미가 있는 해이다. 하고 싶은 것이 모두 잘 안됐기 때문이다. 그리고 처음으로 자신에게 실망한 해이기도 하다. 길을 잃어 갈피를 못 잡는 나는 정말 한심했다.

과거의 좌우명은 '하면 된다.' 였었지만, 현재는 '흐르는 대로 살자'로 바뀌게 되었다. 과정을 즐기며 끝은 어디에 다다를지 모르겠지만 내가 좋아하는 것들을 그저 쫓을 예정이다. 대신 과정의 순간은 철저하게 집중하고 진중하게 살 것이다.

현재, 글쓰기라는 나의 경험과 능력으로 기술적 글쓰기를 하듯이 앞으로도 다채로운 경험을 통해 다양한 소재를 활용한 에세이, 소설, 번역, 취미서까지, 다분야의 글을 쓰면서 인류에 나의 흔적을 잔뜩 남기고 싶다.

2023년의 은수가 보내는 편지

 안녕 미래의 은수야 잘 지내고 있니, 2023년도는 참 힘들었다! 그치? 크리스마스에 청승맞게 눈을 맞으며 서울식물원을 걷다 보니 문득 든 생각인데, 너는 자세가 글러먹었어. 어떤 자세? 물리적인 자세, 심리적인 자세 둘 다! 어렸을 때 바꾼 이름인 수(水)와도 같이 너는 자세가 비틀어졌어. 언제나 성장에 급급했고 하고 싶은 것에 불나방처럼 뛰어 들었지만 결국 못했잖아. 왜 그런 줄 아니? 너는 사람으로서 기반이 아직 부족해. 비틀어진 골반과 굽어진 어깨와 목을 펴서 꼿꼿한 나무(木)가 되도록 하루하루 진중하게 살자. 물론, 이미 굽어버린 것은 갓 만들어진 철근처럼 빳빳하게 복구할 수 없지만 말이야 하하! 근데 생각해 보니, 너무 빳빳하게만 해도 멋이 없는 것 같기도 해.

 아 맞다! 그리고 나는 네가 운동도 하고, 술도 적당히 마시고, 진정한 사랑을 했으면 좋겠다. 나도 사실 진정한 사랑은 잘 몰라. 죽어서도 모를 것 같긴 해. 하지만 네가 지금 생각하고 있는 사랑은 사랑이 아니야. 아마도 당분간은 새롭게 알게 되어버린 너의 문제점을 개선하려고 고군분투하겠다. 앗 벌써 크리스마스가 끝나가네? 마그네슘 먹고 자야 해. 이만 마칠게. 우리 힘내자!

화이트 크리스마스가 기쁜 2023년의 은수가

윤슬을 바라보는 그대에게

발행 2024년 3월 5일

지은이 강인경, 곽혜연, 배은호, 수지우, 이현경, 최은수

라이팅리더 양기연

디자인 윤소현

펴낸이 정원우

펴낸곳 글ego

출판등록 2019.06.21 (제2019-67호)

주소 서울시 강남구 강남대로 118길 24 3층

이메일 writing4ego@gmail.com

홈페이지 http://egowriting.com

인스타그램 @egowriting

ISBN 979-11-6666-455-7